for Prof. Weissbrodt

Your student,
Chang Wang
2014.12.

王昶著作

先锋的终结：比较文化研究

中国法律体系

美国法律文献与信息检索

Also by Chang Wang

The End of the Avant-Garde: Comparative Cultural Studies

Inside China's Legal System

Legal Research in American Law

新双城记

明尼苏达的历史、法律和文化

New Tales of the Twin Cities

The History, Law, and Culture of Minnesota

王 昶

Chang Wang

For information, address US-China Cultural Media Group,
1920 South 1st Street, Suite 509, Minneapolis, MN 55454.

FIRST EDITION

文字编辑：李　想　Text Edited by Xiang Li
封面设计：萨马修　Cover Designed by Matthew Sadler

汤森路透 荣誉出版

汤森路透集团是全球领先的专业信息服务提供商。
我们将专业知识与创新科技相结合，为金融市场及风险管理、法律、税收与会计、知识产权与科技和媒体领域的专业人员和决策者提供重要的信息。
我们的产业还包括世界上最受信赖的新闻机构。

Thomson Reuters is the world's leading source of intelligent information for businesses and professionals.
We combine industry expertise with innovative technology to deliver critical information to leading decision makers in the financial and risk, legal, tax and accounting, intellectual property and science and media markets, powered by the world's most trusted news organization.

ISBN: 978-0-692-02904-6

Printed in the United States of America.

此书献给万湖之州的早期移民，
和所有强壮、好看和不一般的明尼苏达人。

To all the early settlers of the Land of 10,000 Lakes,
and to all the strong, good-looking, and above-average
Minnesotans who live there today.

目 录

附录：

TABLE OF CONTENTS

Appendix:

序言一
明州独特之处何在?

金理德
汤森路透执行副总裁和首席技术运营官

在明尼苏达土生土长的人可能会说，是他们对于北欧名菜路德鱼（碱浸鳕鱼或鲑鱼）的喜爱把明尼苏达和世界的其他地区区分开来。其他人可能会说是一万多个湖泊使得这里与众不同。天气，也一定是人们要谈论的关于明州的话题之一。

但是，在那些初来乍到的人眼里，是什么使明尼苏达引人注目呢?

《新双城记：明尼苏达的历史、法律与文化》一书是第一部描述明尼苏达的中文著作，我的同事王昶在书中分享了他对明尼苏达的独特看法。从明州的历史，繁荣的艺术到社区文化，再到令人抱有矛盾情绪的“明尼苏达式友善”，作者把这一切都涵盖了。

从最一开始，明尼苏达就一直是思想、文化与现实的大熔炉。以新移民的视角来观察明尼苏达，有助于我们发现这里真正的瑰丽之处。

《新双城记》一书是最初发表于《明州时报》的专栏文章的汇编，该书从一个居住在明州的华人的视角出发，描写了非常多样的主题。文化、艺术与历史的融合以这样一种独特的方式被赋予了生命力，而恰恰是这些使明尼苏达变得伟大。

如果你问我，是什么使明尼苏达如此特殊?作为一个第一代明州人，即生于外州但后来定居明州的人来说，我的回答是，明尼苏达人。从本书你可以读到，作者是如何将明州的这些方面描绘的淋漓尽致的。

在收笔之前，我还想给本书的读者提出一个问题：“明尼苏达的标准美语发音对于华人来说难不难?”

祝阅读愉快。

FOREWORD ONE
What Makes Minnesota So Unique?

Rick King
Executive Vice President and Chief Operating Officer - Technology
Thomson Reuters

Those born and raised here might say it's the affinity for Lutefisk that separates Minnesota from the rest of the world. Others may say it's our 10,000 lakes. The weather is certainly something to talk about, too.

But what do those who are newer to Minnesota say makes us stand out?

In *New Tales of the Twin Cities: History, Law, and Culture of Minnesota* - the very first Chinese-language collection of essays written about Minnesota, my colleague Chang Wang shares his unique perspective on all things Minnesotan. From the state's history to our thriving arts and cultural community, all the way down to the ambivalent "Minnesota Nice", Chang covers it all.

Since its beginning, Minnesota has been and continues to be a melting pot of ideas, cultures and realities. And to see this through the eyes of our newest residents sheds a light on the true gem we have here.

New Tales of the Twin Cities, a compilation of column articles originally published in the *Minnesota Times*, captures a wide variety of topics from the perspective of a Chinese citizen residing in Minnesota. The infusion of culture, arts and history that make Minnesota great comes to life in this distinctive way.

If you were to ask me, a transplant to Minnesota who likely won't ever leave, what makes Minnesota unique, I'd say it's the people. The author captures this perspective so well in the book you're about to enjoy.

Before I go, I will pose one question to the readers of this book — how does a Chinese person talk Minnesotan?

Happy reading.

序言二

郭富雷
汤森路透荣休总编辑

我是一个土生土长的明尼苏达人，因为工作的需要和个人的兴趣，我游览过全世界很多地方。我认识到，于我而言，了解自己所旅游、学习、工作和居住的地方的文化、历史和法律体系是多么重要的一件事。可遗憾的是，作为一个国际旅者，我发现想要高效地寻找并获取到这些信息是如此的费劲。现在，我还意识到有乐趣的学习才能收获最好的效果！

要想真正理解明尼苏达和这里的人，对于国际旅者来说更是有着意想不到的困难！它的历史、地理、气候和民族特性使明州成为了美国一个独特的地方。我们在这儿说的和做的经常与众不同！然而，了解明尼苏达会让人收获颇丰。明尼苏达是一个学习、工作、居住和旅游的好去处。它的自然美景令人叹为观止，文化、教育和商业机会也丰富多样。同时，明尼苏达人是非常有教养、包容和进步的。

但是,有谁能做你的导游来带你认识这个迷人又有些神秘的地方呢?

亲爱的读者：你来对了，在本书中你可以一览无余！

作者王昶将带你开启一段知识与趣味并重的旅程，为你介绍明尼苏达的历史、法律和文化宝藏。他是绝无仅有的能胜任的导游。他有过长达十余年在明尼苏达生活的经历。在这里他不仅当过学生、教授、美华合作协调人、企业高管、本地居民，还是明尼苏达最大的中文报纸极受欢迎的撰稿人。王昶不但是我在汤森路透共事数年、十分亲密的工作伙伴，也一直是我非常珍视的挚友。

正如我们在明尼苏达说的，“你找到了一个可靠的人。”现在，放轻松，尽情享受了解明尼苏达的乐趣吧。

FOREWORD TWO

Fred Gordon
Editor - In - Chief (Retired), U.S. Legal Publications, Thomson Reuters

I am a native Minnesotan and have traveled extensively throughout the world for both business and personal interests. I have learned how important it is for me to understand the culture, history, and legal system of the places where I travel, study, conduct business, and reside.

Unfortunately, as an international visitor, I have also discovered how very difficult it is to efficiently find and access this information and I now realize that I learn best when learning is also fun!

But understanding Minnesota and its people can be surprisingly difficult for the international visitor! Its history, geography, climate, and ethnicity make this a very unique place in the United States. We frequently say and do things a little differently here!

However, the rewards for learning about Minnesota are many. Minnesota is a great place to study, conduct business, reside, and travel for pleasure. Its natural beauty is breathtaking and its cultural, educational, and business opportunities are rich and diverse. The people of Minnesota are well-educated, tolerant, and progressive.

But who will be your guide to this enchanting, but somewhat mysterious place?

Dear Reader: You have come to the right place and you are in for a real treat!

Chang Wang will now guide you in an informative and entertaining journey through the history, law, and cultural treasures of Minnesota. He is uniquely qualified to be your guide. He has experienced Minnesota for decades as a student, professor, foreign exchange program coordinator, business leader, resident, and popular writer for the largest Chinese language newspaper in Minnesota. Chang Wang was my very close business colleague for many years at Thomson Reuters. He continues to be my very dear friend.

As we say in Minnesota "you are in very good hands". Now sit back and enjoy learning about Minnesota!

自序
中文版的“归乡喜若狂”

八十年代晚期，明尼苏达作家贺比尔在中国西安教书一年，回美后把他在中国的文化随笔结集成书，取名《归乡喜若狂》。在书中，作家罗列、评论他在华所见所闻，有色眼镜之下，往往真识卓见。书名古雅，自是受杜工部名句的启发。此处之“乡”，指的是明尼苏达。

我有幸成长于八十年代文化热的北京，那是当代史上最健康明亮的一瞬。而过去十一年间，我大部分时间在明尼苏达居住，时间之长已经超过我成年后在北京生活的时段。写在家国之外，似乎容易感花伤叶，秋风初起，秋雨点滴，都会联想“四点零八分的北京”，感动一条河流。但是对我来说，家乡已经扩大，展平。如塔尔科夫斯基的《怀乡》之中，“乡”不再是一个地理的存在，而是一段旋律，一抹色彩，或者一声叹息。如余英时先生所言：“我走到哪里，哪里就是中国。”长住北国明州，感觉与家乡更近。青山绿水，茂林修竹，举杯邀月，对影长歌，家乡就在当下，就在此处。

2003 年初，我接到了明尼苏达法学院的录取通知书。5 月底在完成了伊利诺伊大学（香槟）的硕士研究生项目后，我驱车北上，第一次来访明大双城校区。

夏初的双城，阳光普照，轻絮舞风，燕语鸠鸣，蜂蝶带香。空气中弥散着眩目的光彩和洁净的气息。我暂住在哈雷湖畔家庭旅馆，日间在湖边玫瑰花园和鸟类保留地散步，远看明尼阿波利斯市中心的几栋摩天大楼错落有致，近看清冽如玻璃般洁净的湖水倒映着树影，得意忘形，乐不思蜀。次日往校园探访，蒙法学院教授戴维·布莱顿志愿引导我拜访学院各部门，所到之处又都被彬彬有礼地接待。（后来才知道那些礼貌实际上属于很暧昧的“明尼苏达式友善”。）天时、地利、人和，一切似乎完美，所以我几乎毫不犹豫地签约接受录取。8月底，开始了在明大法学院博士班三年的学习。

但是我并没有准备好面对明州冬天挑战人类忍耐极限的暴风雪和风冷酷寒，也没有预见到整日在无窗无阳光的法学院地下教室中分析案例，彻夜在图书馆中研读法条的悲惨世界。记得当年12月底，第一学期期末考试结束后，室外零下20度，万籁俱寂，只听得到自己为自己的叹息。独自从法学院步行过横跨密西西比河东西两岸的华盛顿街大桥，孤月无声，凄凄清清，昏黄衰灯，照不到桥下河流冰封。

第一个将明州州名翻译为“明尼苏达”的华人已经不可考，是否“信、达、雅”，是否妥切中肯，见仁见智。作为音译，所选择的四个汉字给人传达一种豪迈旷达的气概。作为意译，也暗合苏族人“蓝天一般的水域”的内涵。但明也好，达也好，都如同恋爱中人给对方看的一个阳光侧面一样，全然遮蔽了独处之时的疲累、颓唐、消沉和阴郁。

明州冬天的性格就是这种陀思妥耶夫斯基般的阴郁。

明尼苏达的夏天是一笔有息贷款，冬天到期加利偿还。明州冬天最令人抓狂的不是冷，不是雪，甚至也不是刺骨的寒风，而是阴沉的天空。就此而言，选择“明”作为明州中文翻译四字之首实在误导，其心可疑。明州冬季长达半年，而这半年中的绝大多数日子里不见阳光，如同北欧诸国的漫漫长夜，这也可能解释了为什么早期来明州的欧洲移民多来自北欧和德国。长年不见阳光对人的心理影响巨大，抑郁症和深度哲学思考是常见症状。记得某日，我熬过全天地下教室的合同、侵权课程，傍晚走出大楼，眼前依旧是无边的萧瑟，黯然的楼群被水墨浓彩的天空笼罩，城色如漆，人淡如影。一霎那，我与易卜生、齐克果、伯格曼精神相通；转门出入之间，卡多佐、霍姆斯、奥康纳大法官们都那么遥远。

谐星卜路易谈到明州冬天的时候说：“在明尼苏达的冬天，你想变成一头驼鹿，这样你就有皮毛可以御寒；你也想变成一头熊，这样你就可以冬眠。”这评论连尖酸都称不上。

但是，在明州，我们都是健忘的寒号鸟，得过且过。六个月之后是春夏的重访，明快轻盈的回旋曲在空中飘荡，寒冰积雪融化得无影无踪。冬天的哭喊和细语，蒙克的尖叫都似乎是旅程颠簸中的一场噩梦，成为寒暄的谈资。

从北京到双城，自东徂西，道阻且长。以双城为家的选择，到底是蝴蝶效应的偶然，还是下意识的寻根溯源；是“命运规划局”的安排，还是强意志突破、命运的逆转？苏族人和奥吉布韦人舞集时的悲歌，湖畔的倒垂枝叶，斯奈岭城堡公园的无边落木，畅行在州际公路上两侧农舍中上升的一柱孤烟，天边的火烧云，北雁南飞，只影为谁而去，这些都早已不限于比较的范畴了，而是似曾相识的灵犀相通，是轮回转世的宁静归属。

明州历来被评选为全国最宜居地区，但这有一个前提条件，你可以时而离开。明州退休中产阶级在佛州、加州、亚利桑那州多有备份住房，深秋之际，千万人纷纷离去。过年四月底，杨柳泛绿时候才回。这种“候鸟”现象似乎否决了“冬天是明尼苏达经验的必要一环”的论调。但是金圣叹所概括的“人生至乐”——雪夜拥炉读禁书，正是明州冬日的写照，最重要的是不用担心盖世太保敲门。长歌无词，不需远望当归。因为燕山早已没有大如席的雪花，有的是奥斯威辛一样的毒霾；月河也映不出徐志摩的倒影，干涸的河床点滴渗透的是斑斓七彩的地沟油。苹果时代的信息高速公路直达北京、北平、大都、幽州、燕京、顺天府，世界不仅是平的，历史也是平的。双城的雪夜拥炉，与李贺对饮，给林语堂敬烟，远望一面大旗招展“黄兴到”，回首是灯火阑珊，柳三变带一班知音低吟浅唱。

东西两岸对中西部一贯一视同仁，不做明尼苏达、威斯康辛、伊利诺伊、俄亥俄等之分，但明尼苏达确实在中西部属于特立独行：明州盛产超一流作家，辛克莱·刘易斯，菲茨杰拉德，《草场之家伴侣》的主笔加里森·凯勒，以及散文家贺比尔，小说家弗兰岑等等均出于此；

明州的博物馆、剧院、乐团均傲视全国，画家和文艺青年俯拾皆是，双城地区的人均戏剧演出面积甚至高于纽约；明州政治气氛开明，文化包容度不亚两岸，虽然有“明尼苏达式友善”的虚伪蒙昧一面，但近年来藏人、苗人、索马里难民均在此得到庇护和安置；最重要的是，明州地处五大湖区，州内拥有一万四千多湖泊，淡水资源举世无匹。

明州当然也同样承担着美国历史的罪责：1862 年白人定居者与本土美利坚人之间爆发达科他战争，白人随后在曼凯托对战败的本土领袖集体屠杀，对老弱妇孺强迫迁徙，几代人从此流离失所；明州文化历史的单质性也提供了某种合适的土壤，出产过为数不少的奇葩级的宗教狂和政治恶棍；明州政治也同样遭遇党派政治对立，2011 年双方僵持不下，引致州政府关门三周。凡此种种，不一而足。

但是归根结底，简单的算术可以得出结果：明州的正面因素总量终究大于负面因素。明州的精神如同我们七零后人的八十年代：学术自由，河水清澈。那起码是一个良币驱逐劣币的环境，那起码是一个遵守邪不压正的底线的社会。八十年代曾经是我们的家乡，现在被魑魅魍魉拆迁践踏，只留断壁残垣的家乡。

金圣叹有三十三“不亦快哉”，我也有“双城十大乐趣”可以分享：

- 在明尼苏达议会山庄中明州最高法院审判庭聆听上诉庭辩
- 在明尼阿波利斯艺术馆中赏玩文物画作
- 收听明尼苏达公共广播电台
- 逛上城的旧书店
- 沿哈雷湖和小岛湖畔散步
- 坐密西西比河游船顺流而下
- 听明尼苏达交响乐团的周末音乐会
- 在塔盖特球场看双子队棒球比赛
- 参观明尼苏达科学馆的特展
- 美国大商城购物

十一年前的2003年，我驾一辆老爷车，载着两箱衣物来到双城求学。2014年10月16日，我从明尼苏达大学校长手中接过China 100杰出华裔校友奖牌。这一天，明尼苏达四个字被加热重温。

记得最后一次我从北京回到双城，在明尼阿波利斯-圣保罗国际机场入境。边境的移民官员接过我的证件:“你离境多长时间？”

“两周。”

他接着问:“在境外做什么？”

“讲座。”我回答。

他在我的证件上盖章，递回给我：“欢迎回家。”

PREFACE

Coming "Home" Crazy: Chinese Version *

It was summer, 2003, when I paid a campus visit to the University of Minnesota Law School. The sky was high, and the lakes were glassy. Minnesotans were out hiking, biking, kayaking, and walking dogs. If summer were a song, the song sang itself. The Chinese translation of "Minnesota" (明尼苏达) made perfect sense to me in the summer. The first Chinese character means bright and clear, the third character means wake or recover, and the last character means eminent, distinguished, or thorough. The translation appears to be faithful, expressive, and elegant, I said to myself.

Professor David Bryden, criminal law professor at the Law School, graciously showed me around campus, Downtown Minneapolis, and Uptown. He and his wife Rebecca convinced me that the University of Minnesota Law School would be the best choice for my legal education.

With "bright and clear" in mind, I agreed. Three months later, I came back to Minneapolis as a 1L — and as the only Chinese student in the U of M Law School Class of 2006.

What I hadn't realized was that, in Minnesota, summer was a loan that must be repaid in winter. When I again strolled around Lake Harriet during final-exam week in December, the lake had changed its face dramatically: it was now quiet and bleak. The only songs I could hear were the elegy in my heart, a curse directed at the person who had translated Minnesota as 明尼苏达, and an Edward Munch-style "scream" inside.

I spent my first winter break in Beijing, which is notorious for its Mongolian wind. Compared to Minnesota's wind chill, however, Northern China's winter blow is a nuisance at best. I remember being at the US Embassy in Beijing, applying for a student visa to re-enter the U.S., in order to continue my legal education. After examining the I-20 form that the University of Minnesota International Office had issued, the visa officer looked up at me rather sympathetically and said: "Minnesota, eh? It's… cold." Before I could even respond, he had stamped my application – "Approved", as if he were worried that I might change my mind.

The most difficult part of Minnesota's winter is neither the cold, nor the snow, nor even the wind chill – it's the gray sky. In this regard, the first character 明 (bright and clear) of the Chinese translation is scandalously misleading. Cold is refreshing, wind clears the mind, and blizzards harden the will; but gloomy skies add nothing but depression and sorrow to never-ending Contracts lectures in the windowless classrooms of Mondale Hall and to sleepless nights in the law library. You begin to think hard, soul-searching deep thoughts. During a Minnesota winter, it seems, it is much easier to relate to Henrik Ibsen, Søren Kierkegaard, and Igmar Bergman, than to Benjamin Cardozo, Oliver Wendell Holmes, or Sandra Day O'Connor.

Years later, when I heard Lewis Black's sarcastic comments that, "In Minnesota's winter, you want to be a moose, because then you will have fur; you want to be a bear, so you can hibernate." I responded with a forced smile.

Nevertheless, spring and summer re-visit after six months, the melody plays again, and your heart melts. You forget all the "cries and whispers" and all your winter doubts. The simple truth is that, if we had no winter, spring and summer would not feel so pleasant!

I have spent the last 11 years in Minnesota. That's the longest time I've spent in one place during my adulthood — even more time than I've spent in my hometown of Beijing. I've always wondered whether my choice of Minnesota was one of pure serendipity, was influenced by subconscious forces, or was simply a matter of destiny. Do I resonate with the songs and rhythm of the Sioux and the Ojibwe at Powwow? Do I share the same longing for natural beauty and spiritual seclusion that motivated earlier Scandinavian and German settlers? Do I embrace Minnesota's cultural diversity and pluralism as enthusiastically as do progressive Minnesotans? And do I really understand the hidden message of "Minnesota Nice"?

It has been said that Minnesota is a good place to live if you can get out of here when you need to. The phenomenon of "snowbirds" (retired individuals who head south each winter for six months) might weaken the argument that winter is an indispensable part of Minnesota experience. But as a lineal descendent of Chinese literati, I salute Jin Shentan (金圣叹), a 17th Century Chinese writer, who wisely concluded that it is the ultimate enjoyment to read a banned political book indoors during an evening blizzard. Mentally and physically, I don't need to be in the city of Beijing to feel close to home, thanks to ultra high-speed broadband and the free flow of information in the Land of the Free.

People on the East Coast or the West Coast may not distinguish Minnesota from the rest of the Midwest, but Minnesota does deserve special attention. This is the place that produced some of the finest authors in the country: Sinclair Lewis, F. Scott Fitzgerald, Garrison Keillor, Jon Hassler, Bill Holm, Jonathan Franzen, and Vince Flynn; the Twin Cities is the home of several top-notch orchestras, museums, theatres, and thousands of artists and performers, not to mention the sports teams; this is the land where thousands of Somalian, Hmong, and Tibetan sought and received protection and comfort; and this is the land that borders one of the largest clean-water lakes in the world.

Of course, Minnesota is also the state where the 1862 Mankato Massacre happened; the state from which a number of controversial political figures have emerged, and the State whose government shut down for 20 days recently.

But at the end of the day, if you add up all of Minnesota's positives, they undeniably outnumber the negatives.

Finally, I'd like to share with you my Twin Cities Top 10 List, my top-ten Minnesota pleasures:

- Listening to oral arguments in the Minnesota Supreme Court's old state-capitol courtroom
- Browsing the art and artifact collections at the Minneapolis Institute of Arts
- Listening to Minnesota Public Radio
- Browsing used-book stores in Uptown
- Walking around Lake Harriet and Lake of the Isles
- Taking a cruise on the Mississippi River
- Enjoying a weekend concert by the Minnesota Orchestra
- Watching a Twins game at Target Field
- Checking out special exhibitions at the Minnesota Science Museum
- Shopping at the Mall of America

Eleven years ago, I came to Minneapolis with two suitcases and a used car. Today, I call the Twin Cities home. On October 16, 2014, I received a China 100 Distinguished Chinese Alumni Award from the President Eric Kaler of the University of Minnesota. It would be quite unnatural if I were not moved by the recognition of Minnesotans.

As I re-entered the U.S. at Minneapolis-St. Paul International Airport after my last trip to China, the Immigration officer looked at my documents and asked: "How long have you been out of the country?"

I replied: "Two weeks."

He inquired: "What did you do?"

I responded: "Giving lectures overseas."

He stamped my passport and handed it back to me: "Welcome back home."

**Coming Home Crazy: An Alphabet of China Essays* is a book by Minnesotan author Bill Holm (1943 – 2009). Writing about traditions that endure in Chinese rural areas as well as the absurdities of bureaucracy experienced by an American teacher and traveler in the 1980s, this collection of short essays captures the variety of daily life in contemporary China. The title of the book was inspired by Du Fu (杜甫, 712 – 770 AD), one of the most prominent Chinese poets of Tang Dynasty (618 – 907 AD).

致谢

本书收录2012-2014年间我在《明州时报》“新双城记”所发表的部分专栏文章。《明州时报》是美国明尼苏达州最有文化影响力的中文双周报。

首先我要感谢汤森路透的高管们对此书的支持。首席技术运营官金理德先生从第一代明尼苏达人的角度，荣休总编辑郭富雷先生从土生土长明尼苏达人的角度分别撰写了序言。金理德和金吉娜夫妇，郭富雷和郭凯伦夫妇塑造了我对明尼苏达的正面看法。

在本书编辑成书过程中，如下汤森路透同仁提供了热情支持：韩妮可，马奥和马安夫妇，寇莫拉，劳苏，路贝茜，赖琳达，和米卡曼。本书各章节题目选择和内容撰写受到汤森路透各社区合作项目之启发与潜移默化影响，我荣幸地与诸多汤森路透同事多年以来精诚合作，包括：沃维克博士，应苗谢，尚约翰，敖斯特，马苏珊，顾阿来，罗肯博士，郭艺，郝杰妮和郝大德，海马丁和海特妮，谢卡罗和谢裴苏珊，费贝姬，海罗博，雷汤姆，赖佩娣和赖大维，史马克，帕罗瑞，吉潘姆，戈罗宾，艾约翰，柏莎容，吉唐娜，汤约翰，迪艾德，贾马姬，古珍娜，李大维，克阿莱，和马生等。

明尼苏达大学法学院布莱顿教授及夫人布瑞蓓是我认识的第一个明尼苏达家庭，对我最终决定选择明大产生了关键影响。法学院诸师授业解惑，谆谆教诲，铭记于心：郝兰琼院长，韦大卫院长，魏大维教授，莫弗莱教授，乔卡罗院长，薄安教授，克布莱教授，费巴里教授，戈欧仁教授，敖罗思教授，安艾德教授，阮玛丽教授，斯特恩院长，萨利文院长，和已故马歇尔教授等。

三年法学院苦读，悬梁刺股，囊萤映雪。同窗好友，同舟共济：方达和翠西夫妇，奥楚巴和金姆，吉丹和苏珊，和扎西雷娃。中国中心前主任杨洪博士及夫人马杰，前主任张永维博士时而雪中送炭，感念至今。

日月星辰，时年运转。寒来暑往，今日为人师表：明大法学院，明大本科荣誉项目，威廉米切尔法学院各班学子过半来自明州本地，提供一派鲜明年轻的明州面貌。

明大东亚系主任周文龙教授和明尼阿波利斯艺术馆亚洲馆长柳杨博士是我有幸结识的两位真名士。常与周柳两君指点江山，激荡文字，谈笑间萧瑟北国可变皇城根下，故园重归，万里一乡。

《明州时报》的负责人徐思海医生，孙贞女士和李茵编辑两年多来的耐心和支持对于选题和本书文字写作不可或缺。

本书题献受到明尼苏达作家加里森·凯勒《草场之家伴侣》中名句的启发。

左列本书单独章节写作过程中得到的特别帮助和启发：

- 《明尼苏达简史》：明尼苏达州最高法院，明尼苏达州政府。
- 《明尼苏达州的司法体系》和《明州最高法院壁画上的孔子》：最高法院安德森大法官和夫人简尼丝，麦金洁女士，史艾兰女士。
- 《明州最高法院回顾 2011-2012》和《明州最高法院回顾 2012-2013》：安德森大法官，迪耶森大法官，德穆勒斯专员，奈普教授。
- 《接近民主》：米勒先生和莎容女士。
- 《明尼苏达大学》：艾里克·凯勒校长，麦奎德副校长。
- 《威廉米切尔法学院》：简尼斯院长，贺吉姆教授，魏唐尼教授，艾简教授，和薄铿教授。
- 《明州的移民》：慈万医生全家，格里格修，党爱莲。
- 《华人在明州》：明尼苏达历史协会，富勒女士，贝琼，白雪。
- 《明尼阿波利斯艺术馆》：费凯雯馆长，柳杨博士，赖汤姆博士，鲍艾玛，魏安美，莫玛丽，蒲泰美。
- 《怀斯曼艺术馆》：金吉娜，金励娣博士，韩乔芬，鲍艾仁。
- 《明尼苏达科技馆》：焦利博士，戴迈克，马保罗，鲍克斯，阮金姆。
- 附录中所收录《明尼苏达州宪法》：感谢明尼苏达成文法修订办公室主任迪米歇先生，以及阮简妮女士的重印许可。
- 附录中《明尼苏达网站列表》：感谢朴乔同学的选择和整理。

感谢李想同学极其认真负责的文字编辑，武宇彤同学的帮助，和萨马修先生精致的封面设计。

王昶

2014 年 10 月 16 日

ACKNOWLEDGMENTS

This volume contains essays that I wrote biweekly between 2012 and 2014 for my column in *Minnesota Times*, the largest Chinese language newspaper based in the Twin Cities.

First and foremost, I am grateful to my mentors and colleagues at Thomson Reuters for supporting the publication of these articles as the first Chinese-language book on Minnesota. Rick King, Executive Vice President and Chief Operating Officer – Technology, not only granted permission to publish this book, but also authored a foreword to share his perspective as a "Minnesota transplant." Fred Gordon, Editor-in-Chief Emeritus, who wrote a foreword from his native Minnesotan's point of view, helped me to appreciate Minnesota in the most positive ways. I especially thank Rick and Gina King and Fred and Karen Gordon for convincing me to make the Twin Cities my adopted hometown.

This book could never have been presented to readers as a single volume without the kind assistance of Nicole Hansen, Al Maleson and Ann Maleson, Maura Coenen, Sue Lauermann, Betsy Lulfs, Linda Larson, and Carman Micek – Thomson Reuters colleagues who contributed significantly, in one way or another, to the successful completion of this work. I am most fortunate to have the opportunities to work with the following wonderful people on Thomson Reuters projects and initiatives which directly inspired the topics and enriched the content of this book: Dr. Peter Warwick, Michele Engdahl, John Shaughnessy, Scott Augustin, Susan Martin, Alex Cook, Dr. Ken Ross, Nathan Madson, Martin Hyndman and Tania, Carlos Seoane Quinteiro and Susana Perez, Becky Fillinger, Rob Hafiz, Tom Leighton, Patty Larson and David Larson, Mark Stignani, Jennifer Hauschildt and Todd Hauschildt, Lori Parizek, Pamela Jergens, Robin Gernandt, John Elstad, Sharon Sayles Belton, Donna Gies, John Thomas, Ed Tilford, Maggie Judge, Janet Goodrich, Christopher Luehr, Alexander Kranz, and

Sean Madison.

The University of Minnesota Law School is where I learned American law and became a first-generation Minnesotan. Professor David Bryden and Rebecca Bryden persuaded me to decline offers from other law schools and choose Mondale Hall for my legal education – which I do not regret for a minute. I am forever in debt to my professors: Dean Joan Howland, Dean David Wippman, Professor David Weissbrodt, Professor Fred Morrison, Dean Robert Stein, Dean Tom Sullivan, Dean Carol Chomsky, Professor Ann Burkhart, Professor Brad Clary, Professor Barry Feld, Professor Oren Gross, Professor Ruth Okediji, Professor Ed Adams, Professor Mary Rumsey, and the late Professor Don Marshall.

While reading case law and memorizing rules in the law library, I would not have been able to endure Minnesota blizzards and wind chills without the warm friendship of law school classmates, university colleagues, and their families; in particular: John Fonder and Traci Fonder, Nate Otremba and Kimberly Kline, Dan Gilchrist and Suzanne McCurdy, Tashi Lehwa, Dr. Hong Yang and Margie Ma, and Dr. Yongwei Zhang.

I am now blessed with the opportunity to work with students at the University of Minnesota Law School, in the University of Minnesota Honors Program, and at William Mitchell College of Law. Every day, I learn something new from them about Minnesota.

Professor Joe Allen and Dr. Liu Yang, two prominent modern literati, teach me something new about China every now and then.

I thank Dr. Steven Shu, Jenny Sun, and Linda Li who invited me to write the "*New Tales of the Twin Cities*" column for *Minnesota Times*, and who thereby helped me and my fellow Chinese immigrants better appreciate the greatness of this "Land of 10,000 Lakes".

The dedication of this book is inspired by Garrison Keillor's standard closing words of The News from Lake Wobegon, "where all the women are strong, all the men are good looking, and all the children are above average."

I owe special thanks to the following individuals for their inspiration, guidance, and kind assistance with my writing:

• A Brief History of Minnesota: Minnesota Supreme Court, Minnesota

State Government.

• Minnesota's Judicial System and Confucius Mural in the Minnesota Supreme Court: Justice Paul Anderson and Janice Anderson, Ginger Meyer, and Alayne Svee.

• Minnesota Supreme Court Review 2011-2012 and Minnesota Supreme Court Review 2012-2013: Justice Paul Anderson, Justice Christopher J. Dietzen, Commissioner Rita Coyle DeMeules, and Professor Peter Knapp.

• Access to Democracy: Alan Miller and Sharon Miller.

• The University of Minnesota: President Eric Kaler, Vice President Meredith McQuaid.

• William Mitchell College of Law: Dean Eric Janus, Professor Jim Hilbert, Professor Tony Winer, Professor Jay Erstling, and Professor Ken Port.

• Immigrants in Minnesota: Tsewang La family, Greg Hugh, and Elaine Dunn.

• Chinese in Minnesota: Minnesota Historical Society, Sherri Gebert Fuller, Joan Brzezinski, and Mandy Bai.

• Minneapolis Institute of Arts: Dr. Kaywin Feldman, Dr. Liu Yang, Dr. Tom Rassieur, Emmalynn Bauer, Anne-Marie Wagener, Mary Mortenson, and Tammy Pleshek.

• Weisman Art Museum: Mrs. Gina King, Dr. Lyndel King, Josephine Keifenheim, and Erin Bouchard.

• Minnesota Science Museum: Dr. Eric Jolly, Mike Day, Paul Martin, Christine Bauer, and Kim Ramsden.

• Constitution of the State of Minnesota: I thank Revisor Michele Timmons and Janet Rahm of the Minnesota Office of the Revisor of Statutes for granting permission to reprint the state Constitution.

• Important Websites of Minnesota: I thank Mr. Joe Pearman for selecting and compiling the list of important websites.

Last but definitely not the least, I thank Xiang Li for her diligent editing and translating assistance; thank Yutong Wu for her help, and Matthew Sadler for a pleasant cover design.

Chang Wang

October 16, 2014

明尼苏达简史
A Brief History of Minnesota

约 1 万 1 千 — 9 千年前，人类开始在现在的明尼苏达地区出现，主要以狩猎为生。

约 7 千年前，苏必利尔湖边现在的明尼苏达地区的人们开始制造金属工具。

1650 年前后，法国探险者来到现在的明尼苏达地区，当地的达科他族 (Dakota) 人被探险者们称为“水牛族人”。

1659 年前后，法国皮毛贩子在苏比利尔湖西部地区活动。

1671 年，法国人声称拥有五大湖地区的主权。

1673 年，法国探险者从加拿大魁北克出发到达今天的明州密西西比河地区，这是欧洲人首次到达这个地区。

1680 年，路易·汉尼平 (Louis Hennepin) 神父发现并命名了“圣安东尼瀑布”(Falls of St. Anthony)，此瀑布位于现在的明尼阿波利斯市内。

油画《汉尼平神父发现并命名“圣安东尼瀑布”》

1763 年，英国从法国手中取得现在明尼苏达的东部地区；西班牙仍然控制着密西西比河西岸地区。

1766 年，美国人乔纳森·卡维 (Jonathan Carver) 探索明尼苏达，他后来撰写了《1766，1767 和 1768 年北美中部地区旅行记》 (*Travels Through the Interior Parts of North America in the Years 1766, 1767, and 1768*) 一书，这是第一部关于明尼苏达的英文书籍。

1783 年，独立战争结束，《巴黎和约》签订，美利坚合众国得到承认。明尼苏达州东部地区被美利坚合众国控制，西部地区仍然属于法国殖民地。

1797 年，首次对现明尼苏达地区的绘图由戴维·汤普森 (David Thompson) 完成。

1803 年，美国向法国购买北美土地的“路易斯安娜购地案”(The Louisiana Purchase) 使得现在的明尼苏达西部地区也归美国控制。

1805 年，美国陆军中尉泽布朗·派克 (Zebulon Pike) 率队探索密西西比河源头，这是首次美国人对明尼苏达的探险。派克代表美国与苏族长老们签订了《圣彼得和约》(Treaty of the St. Peters)，又被称为“派克购地案”(Pike’s Purchase)，从苏族人手中购买了今天的曼多达 (Mendota) 和黑斯汀 (Hasting) 地区。

1815 年，达科他印第安人与美国政府签订和平协议。美国皮毛贩子进入明尼苏达地区。

1818 年,美国和英国签约确立北纬49度线为美国和加拿大的边界:该线也就是明尼苏达的最北端。

1819 年，美国陆军在密西西比河和明尼苏达河汇合点建立第一个军事定居点圣安东尼堡垒 (Fort St. Anthony)，后来更名为斯奈岭堡垒 (Fort Snelling)，新名来自于堡垒的创建者乔西亚·斯奈岭 (Josiah Snelling) 上校。

1825 年，美国与多个印第安部族签订条约 (Treaty)，其中规定了苏族 (Sioux) 和奥吉布韦族 (Ojibwe) 两族在现明尼苏达地区的住地和边界。

1832 年，位于艾塔斯卡湖区的密西西比河源头被美国地理学家亨利·斯库克拉夫特 (Henry Schoolcraft) 和他的奥吉布韦族 (Ojibwe) 向导奥萨闻第布 (Ozawindib) 发现。

1835 年，明尼苏达州第一位律师亨利· H. 希伯里 (Henry H. Sibley) 在曼多达 (Mendota) 开始执业。

1836 年，新成立的“威斯康辛领地”(Wisconsin Territory) 包括了现明尼苏达地区。

1839 年，亨利·莫维·莱斯 (Henry Mower Rice) 开始作为皮毛贩子在明州工作。他在美国与印第安人的谈判中扮演重要角色，后来成为明州最有影响力的政治家之一和明尼苏达历史协会的主席。

1847 年，美国与奥吉布韦印第安人的几个部落签订协议，印第安人继续出让土地。

1847 年，哈雷·比舍普 (Harriet Bishop) 从佛蒙特州来到圣保罗来帮助教育新领地定居者的子女，作为早期妇女教育家的先驱，她后来建立了圣保罗的第一个公立学校。

1849 年，明尼苏达成为一个独立“领地”，来自宾西法尼亚州的辉格党人 (Whig) 亚历山大·兰姆基 (Alexander Ramsey) 成为第一任领地州长。

1849 年，明尼苏达最高法院成立，当时只是一个三位法官的审判庭。

1849 年，《明尼苏达先驱报》(*The Minnesota Pioneer*) 开始发行，此报后来更名为《圣保罗先驱报》(*St. Paul Pioneer Press*)，是明尼苏达的两个主要日报之一。

1849 年，明尼苏达历史协会 (Minnesota Historical Society) 成立。

1850 年，小麦成为明尼苏达地区主要农作物。

1850 年，明尼苏达第一次人口普查，全领地人口 6077。

1851 年，苏族与美国签订条约《泛苏地区条约》(Treaty of Traverse des Sioux)，美国开始控制密西西比西岸地区。

1851 年，明尼苏达大学成立。

1851 年，静水镇 (Stillwater) 建立了全明尼苏达第一座监狱。

1852 年，汉尼平郡 (Hennepin County) 成立。

1854 年，圣保罗 (St. Paul) 建市。

1854 年，明尼苏达第一所私立大学汉姆莱大学 (Hamline University) 成立。

1857 年 10 月 13 日，明尼苏达州宪法 (Constitution of the State of Minnesota) 由明尼苏达领地选民投票通过。

1857 年，女记者、女权主义者简·格雷·斯韦茨赫姆 (Jane Grey Swisshelm) 移居到圣克劳德 (St. Cloud)。她在明尼苏达控制一系列的报纸，呼吁废奴和女性权利。

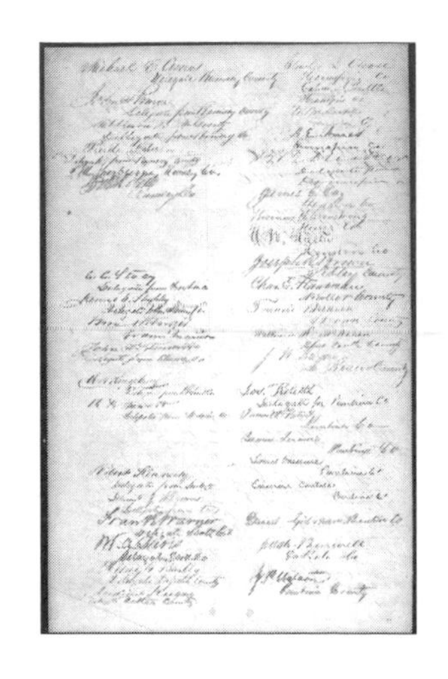

（明尼苏达州宪法签名页）

1858 年 5 月 11 日，美利坚合众国参议院正式批准明州宪法，标志着明尼苏达正式进入美利坚合众国，成为联邦的第 32 个州。亨利· H. 希伯里击败兰姆基，成为州长。

1858 年，明尼苏达州州印 (State Seal) 被确立，印中的耕田者代表农业，树墩代表伐木业，印第安人表示明州的印第安传统，印中还有明州座右铭“北方之星” (L’ Etoile du Nord)。

（明尼苏达州州印）

1859 年，第一次明尼苏达州集 (State Fair)，以“最大的明尼苏达州大聚会”(The Great Minnesota Get-Together) 为口号，州集是明州每年一度的具有商业交易内容和娱乐内容的超大型集会。

1861 年，明尼苏达志愿第一步兵团 (The 1st Regiment, Minnesota Volunteer Infantry) 和明尼苏达第一轻型火炮部队 (The 1st Minnesota Light Artillery) 参加北方军队，在内战中为联邦作出了重大贡献。

1862 年，达科他战争 (Dakota War)，本地达科他人（即苏族人）和白人殖民者爆发长达六周的战争，达科他人战败。12 月 26 日，38

名达科他人在曼凯托市 (Mankato) 被集体处以绞刑，这是美国历史上最大规模的集体处决，史称“达科他大屠杀”(Dakota Massacre)。

油画《包围新乌尔姆》，描绘 1862 年达科他战争

1865 年，嘉吉 (Cargill) 公司在明尼唐卡市 (Minnetonka) 成立，后来发展成为世界上最大的食品加工企业之一。

1866 年，通用磨坊 (General Mills) 公司在圣安东尼瀑布附近成立，后来也成为世界上最大的食品生产商之一。

1867 年，明尼阿波利斯 (Minneapolis) 正式成为一个城市。

1867 年，《明尼阿波利斯论坛报》(The Minneapolis Tribune) 创刊。此报后来逐渐演变扩张成为现在的《明尼阿波利斯星论坛报》(Minneapolis Star Tribune)，全州两大日报之一。

1869 年，威廉·沃茨·弗威尔 (William Watts Folwell) 被任命为明尼苏达大学第一任校长，时年 36 岁。

1872 年，查尔斯·阿尔弗莱德·皮尔斯伯里 (Charles Alfred Pillsbury) 在明尼阿波利斯创立皮尔斯伯里公司，该公司后来发展成全世界最大的面粉加工企业。

1872 年，约翰· B. 韦斯特 (John B. West) 在圣保罗创建韦斯特出版公司 (West Publishing Company)，首创出版法院司法判决书 / 判例法 (case law)。韦斯特出版公司后来成为世界上最大的专业法律出版公司。

韦斯特公司在 1996 年被汤姆森集团 (Thomson) 并购。

1872 年，“双城”("Twin Cities") 这个词第一次出现，由“双重城”("Dual Cities") 演变而成，来正式指代明尼阿波利斯和圣保罗。

1873 年，70 位明尼苏达人在大暴风雪中丧生。

1878 年，玛莎·安吉·多赛特 (Martha Angle Dorsett) 获得律师资格，成为明州第一位女性律师。

1878 年 5 月 2 日，美国当时最大的磨坊、位于明尼阿波利斯的瓦石邦第一磨坊 (Washburn‘A’Mill) 爆炸，18 人丧生。这次事故直接引发了磨坊企业的安全改革。

1880 年，明尼阿波利斯和圣保罗市之间开通电话。

1880 年前后，铁矿开采成为明尼苏达的最主要工业。

1881 年，圣保罗大火，议会山庄被烧毁。

1883 年，明尼阿波利斯艺术馆 (Minneapolis Institute of Arts) 的前身明尼阿波利斯美术协会（Minneapolis Society of Fine Arts）成立，开始收藏艺术作品。

1883 年，明尼苏达州律师协会 (Minnesota State Bar Association) 成立。

1883 年，位于明尼阿波利斯市中心的石拱桥 (Stone Arch Bridge) 完工，该桥现在是明州地标之一。

石拱桥

1885 年，圣保罗冬季狂欢节 (St. Paul Winter Carnival) 开始，这是全美国第一个冬季狂欢节。

1885 年，圣保罗第一位大主教约翰·艾兰 (John Ireland) 创立神学研究所圣托马斯大学 (University of St. Thomas)，后来演变成私立天主教大学。

1886 年，明尼阿波利斯美术学校 (Minneapolis School of Fine Arts) 建立，后更名为明尼阿波利斯艺术和设计学院 (Minneapolis College of Art and Design)。

1888 年，明尼苏达大学法学院开始招生。

1889 年，威廉·梅奥 (William W. Mayo) 和他的两个儿子在罗切斯特市 (Rochester) 创建梅奥医院 (Mayo Clinic)。

1889 年，费雷德里克· L. 麦克基 (Frederick L. McGhee) 获得律师资格，成为明州第一位黑人律师。

1889 年，明尼阿波利斯公共图书馆创办了儿童图书部，创美国先例。

1889 年，美国议会通过了《内尔森法案》，强迫印第安的奥布吉韦和奇帕瓦 (Chippewa) 部族把土地出售给个人用于住宅，这是白人进一步削弱印第安人领地的重要努力之一。该法案得名于推动者，明州第 12 任州长库特·内尔森 (Knute Nelson)。

1890 年，明尼苏达人口达到 130 万。

1891 年，明州第一个州立公园艾塔斯卡州立公园 (Itasca State Park) 建立。

1892 年，共和党全国代表大会 (Republic National Convention) 在明尼阿波利斯召开，这是历史上第一次有妇女代表参加共和党全国代表大会。

1893 年，兰普莱诉明尼苏达案 (*Lamprey v. State of Minnesota*)，明州最高法院决定河岸权 (rights of riparian) 的归属。

1893，明尼苏达州第一面州旗 (State Flag) 被确立，后被 1957 年的新版本取代。

1893 年，儿童作家汪达·加格 (Wanda Gág) 在明州新务尔姆出生，她日后以《百万小猫》(*Millions of Cats*) 一书闻名于世。

1894 年 9 月 1 日，明州黑克利地区大火，烧毁 25 万英亩土地和森林，418 人丧生。

1896 年，20 世纪美国文学巨匠 F. 斯科特·菲斯杰拉德 (F. Scott Fitzgerald) 在圣保罗市出生，他日后成为“迷惘的一代”(Lost Generation) 文学代表人物之一。

1995 年美国邮政发行的菲斯杰拉德邮票

1901 年，英格纳提斯·多奈利 (Ignatius Donnelly) 病逝于明尼阿波利斯市。他是一位著名政治家和作家，他对亚特兰蒂斯 (Atlantis) 和莎士比亚著作真实作者身份的研究争议极大。

1902 年，明尼苏达矿业和制造公司 (Minnesota Mining and Manufacturing Company, 3M) 成立。

1902 年，明州议会通过决议确立粉白女屐兰花 (pink-and-white lady slipper) 为州花 (State Flower)。

粉白女履兰花

1903 年，明尼阿波利斯交响乐团 (Minneapolis Symphony Orchestra) 成立，后更名为明尼苏达乐团 (Minnesota Orchestra)，是美国一流的古典乐团之一。

1905 年，耗资 450 万美元的明尼苏达议会山庄 (Minnesota State Capitol) 大楼竣工投入使用，建筑师是世界闻名的建筑大师卡斯·吉尔伯特 (Cass Gilbert)。

1905 年，约翰·阿尔伯特·约翰逊 (John Albert Johnson) 当选明尼苏达州长，这是第一次明尼苏达本地出生的人士当选明州州长。他是明州历史上最有影响的政治家之一。

1910 年，分岩灯塔 (Split Rock Lighthouse) 完工，被树立在苏比利尔湖北岸，这是美国被访问次数最多的灯塔，也是明州地标之一。

分岩灯塔

1911 年，明尼苏达州废除死刑。

1914 年，第一条城际长途汽车线路在明尼苏达运行，这家公司后来发展成为“灰狗长途”(Greyhound Lines)。

1914 年，罗马天主教大教堂圣玛丽大教堂 (Basilica of St. Mary) 基本竣工开放，位于明尼阿波利斯市中心。

1914 年，第一批中国留学生来到明尼苏达大学就读。

1915 年，明尼阿波利斯艺术馆新古典主义风格的新馆开馆。

明尼阿波利斯艺术馆

1915 年，罗马天教大教堂圣保罗大教堂 (Cathedral of St. Paul) 竣工开放，位于圣保罗市中心。

圣保罗大教堂

1916 年，明州人阿道夫·罗宁 (Adolph Ronning) 和安德安·罗宁 (Andrean Ronning) 兄弟发明了青贮联合收割机 (Ensilage Harvester)，大幅度提高农场工作效率。

1917 年 7 月 29 日，明州历史最高温度华氏 114 度（摄氏 46 度）。

1917-1918 年，明尼苏达第 151 野战炮兵部队 (Minnesota 151st Field Artillery) 作为美国彩虹师团 (Rainbow Division) 的一部分，在法国参加第一次世界大战。

1918 年，第一个手提式购物纸袋在明州被发明。

1918-1919 年，7000 多名明尼苏达人死于流感。

1918 年，克劳科特 (Cloquet) 大火，25 万英亩土地森林被毁，453 人丧生。

1918 年，后来在明尼苏达政治生活中担任重要角色的农工党 (The Farmer- Labor Party) 成立。

1919 年，明尼苏达的一家军工厂生产出美国的第一辆装甲车。

1919 年，明尼苏达静水镇 (Stillwater) 的一位技工查尔斯·斯崔德 (Charles Strite) 发明了弹跳式烤面包机 (pop-up toaster)。

1919 年，明尼苏达批准明州适用《美国宪法》第 19 修正案：明州妇女获得投票权。

1920 年，三名黑人在杜鲁斯市被私刑处死，他们被控性侵犯白人女性。

1922 年，明尼苏达大学的教育广播电台开始广播，这是明尼苏达州第一个广播电台。

1922 年，朱迪·加兰 (Judy Garland) 在明州大急流城 (Grand Rapids) 出生，她日后成为美国最著名的女演员和歌手之一。

1923 年 1 月 2 日，律师皮尔斯·巴特勒 (Pierce Butler) 成为第一个来自明尼苏达的最高法院大法官。他在前一年被美国第 29 任总统沃伦·哈丁 (Warren Harding) 提名，联邦参议院投票多数通过。

巴特勒大法官

1923 年，罗伊·威金斯 (Roy Wilkins) 从明尼苏达大学毕业，获社会学学位。他后来成为美国最著名的民权领袖之一，领导最大的黑人民权组织全国有色人种协进会 (National Association for the Advancement of Colored People，简称 NAACP)。

1924 年，明尼阿波利斯卡车工人大罢工 (The Trucker's Strike)，与警方发生严重暴力冲突，4 死 200 伤。

1925 年，明尼苏达优生学会 (Minnesota Eugenics Society) 成立，鼓吹对劣等人的绝育法规。

1925 年，高速公路路边广告牌 (Highway Road Signs) 在明州被发明。

1926 年，西北航空公司 (Northwestern Airlines) 成立。西北公司与达美航空 (Delta Airlines) 在 2008 年合并。

1927 年，时年 25 岁的明尼苏达人查尔斯·林堡 (Charles Lindberg) 独自驾机横跨大西洋，从纽约长岛出发，到达法国巴黎。他被《时代》(*Time*) 杂志命名为第一位"年度人物"(Man of the Year)。

1927 年，沃克艺术中心 (Walker Art Center) 在明尼阿波利斯市开张，这是明尼苏达州第一个公共艺术馆，也是美国主要的现代艺术馆之一。

1929 年，明尼苏达人、美国国务卿弗兰克·凯洛格 (Frank Kellogg)

获诺贝尔和平奖，以表彰他在凯洛格 - 布里安德和平协议 (The Kellogg-Briand Pact) 中的贡献。

1929 年，明尼苏达州巡警 (Minnesota State Patrol) 成立。

1929 年，明尼阿波利斯 - 圣保罗机场首次开始运送旅客。

1985 年美国邮政发行的辛克莱· 刘易斯邮票

1930 年，明尼苏达作家辛克莱·刘易斯 (Sinclair Lewis) 获诺贝尔文学奖，这是首次美国作家获得该奖。刘易斯 1885 年出生于明州沙科森镇 (Sauk Center)，以《主街》(*Main Street*) 等作品闻名于世。

1931 年，“明尼苏达人”(Minnesota Man/Minnesota Woman)，一个冰河时代的少女遗骸被发现。

1931 年，明尼苏达大学医生欧文·沃根斯坦 (Owen Wangensteen) 发表了沃根斯坦虹吸器 (Wangensteen Suction Apparatus)，据统计在随后的 50 年中至少拯救了 10 万病人的生命。

1931 年，美国联邦最高法院判决尼尔诉明尼苏达案 (*Near v. Minnesota*)。最高法院除了保护新闻出版不受联邦法律的干涉，还进而保护其不受州法律的干涉。在此之前，新闻出版只受到不被联邦政府控制的保护。这项具有里程碑意义的裁决还废除了此前施加的对新闻自由的大多数限制。

1933 年, 明州布朗郡 (Brown County) 发现了“布朗山谷人”(Brown Valley Man) 遗骸，为 8 千 — 1 万年前人类遗骸。

1933 年，美国联邦最高法院在房屋建筑和贷款联合会诉布拉斯代尔 (*Blaisdell v. Home Building and Loan Association*) 一案中，判定明尼苏达州帮助因按揭问题失去房屋的人们的法律合乎美国宪法。

1935 年，第一辆冰冻冷藏车在明州被发明。

1936 年，《财富》(*Fortune*) 杂志评选圣保罗市为最适于雇佣杀手的美国城市。

1936年，弗洛伊德·奥森 (Floyd Olson) 在州长任内在梅奥医院去世，年仅 44 岁。他是明州历史上最受爱戴的州长之一。

1937 年，荷美尔 (Hormel) 食品公司推出“斯帕姆”(SPAM) 肉罐头，成为第二次世界大战期间最著名的战地食品。今天，美国人每秒钟平均消费 4 盒“斯帕姆”罐头。

1937 年，美国民间传说人物、伐木工人保罗·布杨 (Paul Bunyan) 的巨型雕像在贝米基市 (Bemidji) 树立。

贝米基市的保罗·布杨和兰牛塑像

1938 年，哈罗德·斯塔森 (Harold Stassen) 当选明尼苏达州长，年仅 31 岁，被称为“男孩州长”。他后来在联合国的创立上作出了贡献。

1939 年，明尼苏达大学的两位医学家制定了明尼苏达多项人格测验（Minnesota Multiphasic Personality Inventory，简称 MMPI），是迄今应用极广、颇富权威的一种纸 — 笔式人格测验。该问卷的制定方法是分别对正常人和精神病人进行预测，以确定在哪些条目上不同人有显著不同的反应模式，因此该测验最常用于鉴别精神疾病。

1940 年，大暴风雪造成 24 小时内 16 英寸降雪，49 人丧生。

1941 年，歌手鲍勃·迪伦 (Bob Dylan) 出生于明尼苏达州杜鲁斯 (Duluth) 市，他后来成为美国民权运动和反战运动的旗帜歌手。

1944 年，明州民主党与农工党合并成为民主农工党 (Democratic Famer Labor Party, DFL)，是至今为止明州最重要的政治势力之一。

1945 年，《欢呼明尼苏达》(Hail！Minnesota) 被确立为州歌 (State Song) 。

1946 年,索尔·贝娄 (Saul Bellow) 开始在明尼苏达大学的三年任教。他于 1976 年获诺贝尔文学奖和普利策小说奖。

1948 年，明尼苏达第一个电视台 KSTP 开始播送电视节目。

1948 年，制造业取代了农业成为明州最大的产业。

1949 年，海瑟顿 (Hazelden) 治疗中心开始在明州治疗酗酒者。今天海瑟顿是世界上最大的非营利性的戒酒戒毒中心。

1949 年，美敦力医疗器械公司 (Medtronic) 在明尼阿波利斯市被创建。美敦力现在是世界上最大的医疗器械公司，财富 500 强 (Fortune 500) 公司之一。

1949 年，明尼苏达政治家尤金·摩尔·安德森 (Eugenie Moore Anderson) 被哈里·杜鲁门 (Harry Truman) 总统任命为美国驻丹麦大使，这是美国历史上第一位女大使。

1950 年，梅奥医院的两位医生菲利普·肖瓦特·亨奇（Philip Showalter Hench）和爱德华·卡尔文·肯德尔（Edward Calvin Kendall），以及另外一位瑞士化学家由于发现肾上腺皮质激素及其结构和生理效应，获得诺贝尔生理学或者医学奖。

1950 年，明州漫画家查尔斯·舒尔茨 (Charles Schulz) 开始发表连载漫画《皮纳特》(*Peanuts*)。该系列作品被公认为历史上影响最大，读者最多的连载漫画，曾在 2600 家报纸连载，读者群多达 3 亿 6 千万，被翻译为 21 种语言。

《皮纳特》系列漫画主要人物

1952 年，明尼苏达大学医院 F. 约翰·路易斯 (F. John Lewis) 和 C. 沃顿·利勒黑 (C. Walton Lillehei) 等医生完成了历史上第一次成功的开心手术 (Open-Heart Surgery)。

1953 年，红松 / 挪威松 (Red Pine/Norway Pine) 被确立为明州州树 (State Tree)。

红松 / 挪威松，明尼苏达州树

1953 年，蜜井公司 (Honeywell) 的圆形室内温度控制器 T86 在明州问世，随即风靡全国。

1954 年，科雅·库特森 (Coya Knutson) 成为首位当选美国联邦众议员的明尼苏达女性。

1955 年，圣保罗市与日本长崎市成为“姐妹城市”，这是历史上第一次一个美国城市与亚洲城市建立“姐妹城市”关系。

1956 年，南谷购物中心 (Southdale Shopping Center) 开张，这是美国第一个全封闭室内购物中心。

1956 年，第一辆动力雪撬车 (snowmobile) 在明尼苏达被制造出来。

1956 年，明尼苏达的五所法学院合并成为威廉·米切尔法学院

(William Mitchell College of Law)，校名来自于19世纪的明州最高法院大法官威廉·米切尔。

1957年，明尼苏达州确立新版州旗，这是现在使用的版本。旗帜上的1818是明尼苏达第一个殖民定居点成立的年代，1858是建州之年，1893是第一版州旗确立时间。

明尼苏达州旗

1958年，明尼阿波利斯市的一位工程师埃尔·巴肯(Earl Bakken)设计制造了世界上第一台外带型、电池动力、晶体管的心脏起搏器(Pacemaker)。巴肯也是美敦力医疗器械公司的创始人。

1959年，圣劳伦斯河道系统(St. Lawrence Seaway)系统开通，联接大西洋和五大湖，航船可以从大西洋岸一直开到明州杜鲁斯市。

1961年，明尼苏达的橄榄球队维京人队(Vikings)和棒球队双子队(Twins)开始参加国家比赛。

1961年，潜鸟(Loon)被确立为明州州鸟(State Bird)。

潜鸟，明州州鸟

1962 年，第一家塔盖特 (Target) 超级市场在明州罗斯韦尔市 (Roseville) 开业。

1962 年，第一条楼宇间全封闭保温的悬空通道 (Skyway) 在明尼阿波利斯市中心建成。悬空通道系统现在已经长达 7 英里，联通市中心各楼。

1963 年，在任州长艾默·安德森 (Elmer Andersen) 和副州长卡尔·罗瓦格 (Karl Rolvaag) 竞争下届州长，经 139 天重新点票，罗瓦格以 91 票险胜。（总票数是 130 万张。）

1963 年，明州的控制数据公司 (Control Data Corp.) 设计了世界上第一台超级计算机。

1963 年，哥瑟剧院 (Guthrie Theatre) 开始演出。

1963 年，明尼苏达歌剧院 (Minnesota Opera) 成立。

1964 年，前明尼阿波利斯市长、前美国联邦参议员赫伯特·亨弗莱 (Hubert Humphrey) 当选美国第 38 届副总统，当选总统的是林登·约翰逊 (Lyndon Johnson)。

亨弗莱副总统

碧古鱼，明州州鱼

1965 年，碧古鱼 (Walleye) 被确立为明州州鱼 (State Fish)。

1966 年，第一家百思买 (Best Buy) 电器行在伊代纳 (Edina) 市开张。

1966 年，历史上第一次成功的胰腺移植由明尼苏达医生理查德·利勒黑 (Richard Lillehei) 和威廉·凯利 (William Kelly) 完成。

1967 年，明尼苏达公共广播电台 (Minnesota Public Radio) 开播。

1968 年，来自明州的联邦参议员尤金·麦卡锡 (Eugene McCarthy) 竞选总统，他的竞选主题是反对越南战争。麦卡锡在民主党提名战中败给副总统赫伯特·亨弗莱 (Hubert Humphrey)。

1968 年，赫伯特·亨弗莱在总统选举中败给理查德·尼克松 (Richard Nixon)。

1968 年，世界上第一例成功地骨髓移植在明尼苏达大学完成。

1968 年，美国印第安人权利运动 (American Indian Movement) 从明尼阿波利斯开始，逐渐发展成为全国范围的民权运动。

1968 年，圣保罗人拉尔夫·普拉斯特德 (Ralph Plaisted) 带领队伍乘电动雪橇车到达北极，这是历史上第一次成功的北极机动探险。

1968 年，“明尼苏达冰人”(Minnesota Iceman) 骗局。一个后来被揭露为人工制作的冰冻史前人类遗骸在明州多处展出。

伯格首席大法官

1969 年，时任哥伦比亚特区美国联邦巡回上诉法院 (United States Court of Appeals for the District of Columbia Circuit) 法官的华伦·伯格 (Warren Burger) 被美国第 37 任总统尼克松提名，参议院通过后，成为美国联邦最高法院第 15 任首席大法官 (Chief Justice)，他也是第二位供职于联邦最高法院的明尼苏达人。

1969 年，苏比列尔湖玛瑙 (Lake Superior Agate)，一种主要分布在明州东北部的石英石，被确定为州宝石。

苏比列尔湖玛瑙，明州州宝石

1969 年，C. 斯坦利·波特 (C. Standley Potter) 和罗伯特·瓦特森 (Robert Watson) 在明尼苏达公共广播电台开创了广播书播音服务 (Radio Reading Service)，惠及盲人“阅读”。

1970 年，时任美国联邦第八巡回上诉法院 (United States Court of Appeals for the 8th Circuit) 法官的哈里·布莱克曼 (Harry Blackmun) 被尼克松总统提名，参议院通过后，成为第三位供职于联邦最高法院的明尼苏达人。他是著名的《罗诉韦德案》(*Roe v. Wade*) 判例法的撰写者。

布莱克曼大法官

1970 年，以明尼阿波利斯市为故事背景的电视情景喜剧《玛丽·泰勒·摩尔秀》(The Mary Tyler Moore Show) 开始在哥伦比亚广播公司 (CBS) 电视频道播出，这是电视史上首次以一位未婚的职业女性为主角。该剧成为美国电视史上影响最大的节目之一。

1970 年，明尼苏达大学校友诺曼·博罗格 (Norman Borlaug) 以其对增进全球农产品产量的“绿色革命” (Green Revolution) 的贡献而获得诺贝尔和平奖。

1972 年 1 月 7 日，前明尼苏达大学教师、诗人约翰·贝利曼 (John Berryman) 从明尼阿波利斯市的华盛顿街桥上跳入密西西比河身亡。他曾获得普利策诗歌奖和国家图书奖。

1973 年，明尼苏达州批准美国联邦宪法的平权条款 (Equal Protection Clause) 适用于明州。

1974 年，加里森·凯勒 (Garrison Keillor) 创办并开始主持《草场之家伴侣》(A Prairie Home Companion)，一个现场广播综艺节目。该节目成为美国收听率最高的周末节目之一。

1974 年，明尼苏达州修订州宪法。

1975 年，弗瓦亚国家公园 (Voyageur National Park) 在明尼苏达北部与加拿大交接地带被建立。

1975 年，明尼苏达作曲家多米尼克·阿坚托 (Dominick Argento) 获得普利策音乐奖。

1975 年，长达三天的暴风雪造成 35 名明州居民和 1 万 5 千头牲畜死亡。

1976 年，明尼苏达的联邦参议员沃尔特·蒙代尔 (Walter Mondale) 当选为美国第 42 届副总统，当选总统是民主党人吉米·卡特 (Jimmy Carter) 。

蒙代尔副总统

野大米，明州州粮

1976年，美国联邦最高法院在布莱恩诉艾塔斯卡郡 (*Bryan v. Itasca County*) 一案中确立：除非经联邦议会明确授权，州政府不得向居住在印第安人保留地上的印第安人收取房产税。

1977年，罗萨莉·瓦尔 (Rosalie E. Wahl) 成为第一位明尼苏达最高法院女性大法官。

1977年，野大米 (Wild Rice)，一种水生草籽，被确立为明州州粮 (State Grain)。野大米是印第安人长期以来作为主食的食品。

1978年，《边界之水独木舟游野外法案》(Boundary Waters Canoe Area Wilderness Act) 在美国国会通过，致力于保护加拿大和明尼苏达之间的边界之水地区。该法案的通过很大程度上归功于明州环保主义先驱和作家希格德·奥森 (Sigurd Olson) 。

1980年，3M公司正式推出了一种新型的自粘标签材料“及时贴”(Post-it Note)，该产品很快风靡全球。

1982年，大暴风雪造成双城地区两天内降雪34英寸。

1984年，民主党总统候选人沃尔特·蒙代尔在美国总统选举中败给了共和党总统候选人罗纳德·里根 (Ronald Reagan)。

1984年，歌手普尔斯 (“Prince”) 的专辑《紫雨》(Purple Rain) 成为美国年度最流行歌曲，连续居排行榜首位长达24周，共销售1千3百万张唱片，并获两项格莱美奖 (Grammy Awards)。歌手普尔斯出生在明尼阿波利斯市，是美国最流行的歌手之一，共获得7项格莱美奖。

羊肚菌，明州州蘑菇

1984年，明州议会通过决议确立纯牛奶为州饮料 (State Drink)；羊肚菌 (Morel) 为州蘑菇 (State Mushroom)。这是第一次有一个州确立州蘑菇。

1985 年，明尼苏达酷刑受害者中心 (Minnesota Center for Victims of Torture) 成立。

1986 年，明州人安·班克劳夫特 (Ann Bancroft) 成为第一个跨越 1000 英里冰雪地到达北极的女性。

1987 年，明州通过法律要求雇主不但要允许新生儿母亲、而且还要允许新生儿父亲休产假。

1987 年，明尼苏达双子队获得全国冠军 (World Series)。

1988 年，美国第一个关于性骚扰问题的集团诉讼 (Class Action) 路斯· E. 简森诉艾维莱铁矿公司 (*Lois E. Jenson v. Eveleth Taconite Co.*) 在明尼苏达联邦地区法院立案。此案双方在 1998 年达成和解协议。2002 年出版的书籍《北国》 (*North Country*) 和 2005 年的同名电影《北国》都是基于此案故事。

1988 年，蓝莓松糕 (Blueberry Muffin) 被确立为明州州立松糕 (State Muffin)。

蓝莓松糕，明州州立松糕

1989 年，明尼苏达篮球队森林狼队 (Timberwolves) 开始参赛。

1991 年，明尼苏达双子队再次获得全国冠军 (World Series)。

1991 年，万圣节暴风雪造成双城地区积雪 28 英寸，杜鲁斯积雪 37 英寸。

1992 年，美国最大的室内购物中心美国商城 (Mall of America) 在明州布鲁明顿市 (Bloomington) 开业，占地 96 英亩，500 多家商店，1 万 2 千多个停车位，每年迎接 4 千万以上顾客。

1993 年，怀斯曼艺术馆 (Frederick R. Weisman Art Museum) 新馆在明尼苏达大学校园完工开放。建筑师是法兰克·欧文·盖里 (Frank Owen Gehry)，该馆是明尼苏达大学地标之一。

明尼苏达大学怀斯曼艺术馆

1994 年 1 月 7 日，明州历史单日降雪最高记录达 36 英寸（91 厘米）。

1996 年，来自明尼苏达的电影导演科恩兄弟 (Coen Brothers) 的影片《法尔戈》(Fargo) 获得奥斯卡最佳原创剧本和最佳女主角奖。

1996 年 2 月，明州历史最低温华氏零下 60 度 (摄氏零下 51 度)。

1998 年，前职业摔跤手杰西·文杜拉 (Jesse Ventura) 当选明尼苏达州长。

1998 年，明尼苏达州政府与主要烟草公司达成和解协议，烟草公司赔偿 40 亿美元。

1998 年，历史上第一次活体捐献者捐献部分胰腺移植由明尼苏达医生戴维·萨瑟兰 (David Sutherland) 完成。2000 年，明尼苏达冰球队野人队 (Minnesota Wild) 开始参赛。

2000 年，帝王蝶 (Monarch Butterfly) 被确立为明州蝴蝶 (State Butterfly)。

帝王蝶，明尼苏达州蝴蝶

2002 年，明尼苏达人、明尼苏达大学校友托马斯·弗雷德曼 (Thomas Friedman) 获普利策奖 (Pulitzer Prize)，表彰他在时事评论方面的贡献。他在 1983 和1988 年曾两次因其优秀的国际报道而获奖。

2002 年，明尼苏达校友卡尔·丹尼斯 (Carl Dennis) 获普利策奖 (Pulitzer Prize)， 表彰他在诗歌方面的贡献。

2002 年，来自明州的美国联邦参议员保罗·威尔斯通 (Paul Wellstone) 在一次飞机失事中去世，距离他参选连任第三任参议员仅有 11 天。威尔斯通是当时影响力最大的民主党政治家。

威尔斯通参议员

2002 年，明州议会通过决议，确立摄影作品《恩典》(Grace) 为州立摄影作品 (State Photograph)。该作品是 1918 年埃里克·恩斯特罗姆 (Eric Enstrom) 在明州波维市 (Bovey) 拍摄的。

《恩典》，明尼苏达州立摄影作品

2002 年，明尼苏达州人口达到 5 百万。

2004 年，在明尼苏达大学任教 23 年的经济学家爱德华·普莱斯克特 (Edward Prescott) 获得诺贝尔经济学奖。

2005 年，红湖 (Red Lake) 的一名少年持枪杀害了九个人，被称为“红湖惨案”。

2006 年，蜜味脆苹果 (Honeycrisp) 被确立为州水果 (State Fruit)。

2006 年，哥瑟剧院新剧场在明尼阿波利斯完工开放，这个新建筑被《绅士》(*GQ*) 杂志称为 21 世纪最重要的 10 个建筑之一，并获当年《建筑师》杂志大奖。

哥瑟剧院新剧场

2006 年，明尼阿波利斯中央图书馆 (Minneapolis Central Library) 新馆完工开放，新馆耗资 1 亿美元。

2007 年，明尼苏达大学经济学荣休教授里奥尼德·赫维克兹 (Leoid Hurwicz) 与另外两位经济学家共同获得诺贝尔经济学奖，表彰他奠定了“机制设计理论”的基础。赫维克兹于次年在明尼阿波利斯去世。

2007 年 8 月 1 日，明州主要交通干线 35W 在明尼苏达大学段的石桥坍塌在密西西比河里，造成 13 人死亡，145 人受伤。

2007 年 8 月 1 日，35W 大桥坍塌

2007 年，百年一遇的森林大火摧毁了 7 万 6 千英亩明州森林。

2007 年，科恩兄弟的影片《老无所依》(No Country for Old Man) 获得四项奥斯卡奖(最佳影片,最佳导演,最佳改编剧本和最佳男配角)。

2007 年，来自艾达荷州的美国联邦参议员拉里·克莱格 (Larry Craig) 在明尼阿波利斯 – 圣保罗国际机场的男洗手间中因不良行为而被捕。

2008 年 9 月，共和党全国代表大会在明州首府圣保罗市召开。由于示威者太多，圣保罗市警察动用催泪弹和胡椒水驱散示威者。

2009 年，科恩兄弟影片《一个严肃的人》(A Serious Man) 问世，该片绝大多数场景在明州双城地区拍摄。

2009 年，明尼苏达最高法院判决民主党人、前喜剧演员和作家阿尔·弗兰肯 (Al Franken) 获得美国联邦参议员竞选，共和党人诺姆·寇曼 (Norm Coleman) 败选，结束了一场长达 239 天的僵局和法律斗争。明尼苏达联邦最高法院大法官保罗·安德森 (Paul Anderson) 在双方法庭庭辩上打断诺姆·寇曼律师，指出“这不是佛罗里达，这是明尼苏达。在明尼苏达辩论你的案件。”(This is not Florida, this is Minnesota. Argue your case in Minnesota.) 这成为一时名言，也是后来一本记录此次参议员竞选争议的纪实文学书籍的书名。（佛罗里达在这里指 2000 年布什和戈尔在佛罗里达州的总统竞选选票争议。）

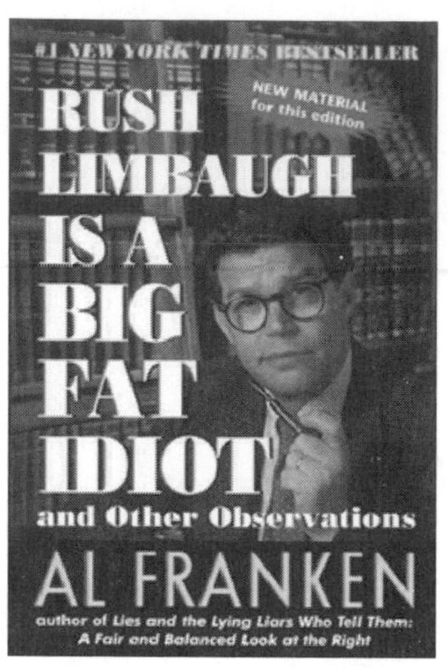

弗兰肯名作《肥白痴林堡》

2010 年 6 月 17 日，明州历史上单日龙卷风最多记录，共 48 次。

2011 年 1 月 3 日，马克·戴顿 (Mark Dayton) 就任明尼苏达第 40 任州长。

2011 年，明尼苏达最高法院修改获取明州律师执业资格的条件：在其他州获得律师资格的律师和毕业于非美国律师协会认证的法学院毕业生也可以参加明州律师考试，在此之前，只有毕业于四个经美国律师协会认证的明州法学院的毕业生才能参加明州律师考试。

戴顿州长

2011 年 7 月 1 日 – 7 月 20 日，由于民主农工党的州长马克·戴顿 (Mark Dayton) 与共和党控制的州议会就州政府预算案不能达成妥协，造成明尼苏达州政府暂时关闭，其间：大部分州政府部门关闭，所有州立公园服务停止，州彩票系统关闭。

2011 年 10 月，明尼苏达大学经济系前教授克里斯托弗·西姆斯（Christopher Sims）和托马斯·萨金特（Thomas J.Sargent）共同获得诺贝尔经济学奖，以表彰他们“对宏观经济中因果的实证研究”。

2012 年，明尼苏达大学进行的实验发现，治疗老年痴呆的盐酸美金刚 (Memantine hydrochloride) 有助于控制购物欲。

2012 年 6 月 20 日，明州遭遇历史罕见洪灾，杜鲁斯市很多道路、房屋被毁。

2012 年 10 月， 戴顿州长任命明州上诉法院法官维赫米娜·怀特 (Wilhelmina Wright) 为明尼苏达州最高法院大法官，接替退休的海伦·迈耶人法官。怀特大法官成为明州历史上第一位非裔女性大法官。

2012 年 10 月，明尼苏达大学校友布莱恩·库比卡 (Brian Kobilka) 和杜克大学教授罗伯特·莱夫科维茨（Robert J. Lefkowitz）共同获得诺贝尔化学奖，表彰他们在“G 蛋白偶联受体研究”方面的贡献。

2013 年 8 月 1 日起，明尼苏达州承认同性婚姻。

2013 年 10 月，明尼苏达大学校友拉斯·彼得·韩森 (Lars Peter Hansen) 和明尼苏达大学经济系前教授罗伯特· 施勒 (Robert Shiller) 与芝加哥大学教授尤金·法玛 (Eugene Fama) 共同获得诺贝尔经济学奖，他们的研究研究成果奠定了人们目前对资产价格认知的基础。

2014 年初，明尼苏达零售巨头塔盖特 (Target) 客户数据系统遭到黑客侵入，七千万消费者资料被窃。

2014 年 11 月，美国中期选举，戴顿州长 (Governor Mark Dayton) 和联邦参议员阿尔·弗兰肯 (Al Franken) 击败挑战者，成功连任。

2014 年，明尼苏达大学庆祝与中国建立联系 100 周年。

美国明尼苏达州的司法体系
Minnesota's Judicial System

美国明尼苏达最高法院法庭内景

明尼苏达州的法院系统包括一个明州最高法院 (Minnesota Supreme Court)，一个明尼苏达上诉法院 (Minnesota Court of Appeals)，和十个地区法院 (District Court)。州最高法院和联邦最高法院的法官一样都被称为“大法官”(Justice)，明州最高法院有七位大法官。明州上诉法院有 19 位法官，明州的地区法院共有 289 位法官。所有的法官都不能隶属于任何党派，以确保司法公正。

州法院体系是州政府“三权分立”中的司法分支，与立法分支（州参议院和州众议院），行政分支（州长和州行政部门）互相平衡和制约。各州情况均与联邦“三权分立”的结构类似，在联邦层面: 司法（联邦法院体系）；立法（联邦众议院和参议院）；行政（总统、副总统和联邦政府部门）也是互相平衡和制约的关系。所以美国的三权分立包括了 52 套三权分立体系，联邦政府加上 50 个州和哥伦比亚特区。

双重法院体制是美国司法体系的最基本特征之一，这也是“联邦制”(Federalism) 的一个具体化。国家一级的联邦有一套法院系统，每一个州和哥伦比亚特区也各有一套法院系统。在法院组织结构方面，联邦和其它的 51 套法院体系大同小异，为金字塔形的三级制：最下面是地区初审法院，上面是上诉法院，最顶尖是终审法院（最高法院）。后两级法院都属于上诉法院。（哥伦比亚特区没有最高法院。）

明尼苏达州各地区法院每年处理两百多万件案件。地区法院的法官是由州长直接任命，一届期满后必须参加选举，如果胜选可以连任。明州各法院法官的每届任期都为六年。地区法院根据职责不同分为多个审判庭：和解、青少年、遗嘱认证、刑事、民事和家庭等。和解审判庭 (conciliation court) 又被称为“人民法庭”(people’s court) 或者“小额赔偿法庭”(small claim court)，争议双方自己代表自己上庭，没有律师出场，争议问题一般是小额的金钱争议。在美国电视上非常流行的各种法庭现场直播节目一般都是在和解审判庭录制的。青少年审判庭 (juvenile court) 处理涉及未成年人的案件，多数是抚养费欠费、逃学和轻微交通违章等。这些案件的审理不对外开放，以保护涉案人员的隐私。

明尼苏达州兰姆基郡地区法院正门上方的浮雕

除此之外，明州各级法院的审判都是公开审判。遗嘱认证审判庭 (probate court) 审理决定遗产分配问题。刑事审判庭 (criminal court) 处理所有涉及成年人的刑事案件，从交通违章到谋杀案件所有涉及刑事法律的案件，政府是一方，犯罪嫌疑人是一方。民事审判庭 (civil court) 管辖所有居民之间的民事纠纷，包括合同、财产、侵权等等。家庭审判庭 (family court) 处理离婚、孩子抚养、领养和其它涉及未成年人的案件。所有初审法院的案件在法庭判决之后，如果败诉方对判决不服 ，可以上诉到明州上诉法院。

明尼苏达州达科他郡地区法院

上诉法院审查初审法院判决的权力主要集中在法律争议（issue of law）上，对法律问题的审查标准是“重新审理”(de novo)。但是上诉法院一般尊重初审法院对事实的认定，审查标准是“明显错误”(clear erroneous)，即如果初审法院在事实审过程中未有明显错误，那么该初审法院对案件事实方面的认定应被上诉法院采纳。由于上诉法院的主要职责是审理下级法院对于法律争议的解决是否正确，所以上诉法院中没有陪审团（其职责是寻找案情的事实）和证人出场。明州上诉法院一般有三位法官组成一个“议庭”(panel) 来聆听和审判案件。明州最高法院规则是全体七位大法官都出场，称为“全体听审”(en banc)。

不论是中层的上诉法院还是最高法院，案件双方当事人在上诉时候都要告诉法庭具体的法律问题争议在哪里，然后请求法庭支持自己一方的法律论辩。双方律师先交换并呈交给法庭上诉辩论状 (appellate brief)，然后法庭将择期举行听审和上诉庭辩 (oral argument)：分配给每一方的律师的口头辩论时间一般不超过半个小时，其间法官们会随时对发言的律师发问。上诉法庭中只有法官和律师们的对话，没有初审法庭可能出现的戏剧性场面，所以看起来较为平静。但是，法官们和律师们经常唇枪舌剑地辩论和对答，其思想上的交锋和法理上的冲撞往往更为激烈。

明尼苏达最高法院是明尼苏达全州的最高终审法院，也是整个司法体系的领导机关。最高法院根据 1849 年的《领土法》(Territorial Act) 而建立，最初只有三位法官，没有固定的审判庭。当时明尼苏达只是一"领土"，还没有正式成为一个州。1858 年明尼苏达建州，所以明尼苏达最高法院比明尼苏达州的建立还要早九年。明州建州之后，州宪法规定最高法院的大法官任期六年，空缺由州长任命，到期重选。今天的明州最高法院设立在明州首府圣保罗市中心的明尼苏达司法中心 (Minnesota Judicial Center) 内，与州议会山庄 (State Capitol) 和州政府大楼相邻。

明尼苏达最高法院历史上的第一个案件是关于一头迷路的牛的案件。这头走失的牛游荡到了他人的牧场之中，牧场主人把牛主人告上法庭，要求赔偿两美元的牧场使用费，牧场主人在初审法院败诉，上诉到最高法院。最高法院庭审后，判决支持下级法院。现在看起来这个案件似乎小题大做，但是在十九世纪中明尼苏达早期农业环境中，这个案件的判决具有相当重要的指导意义。

每一场明州最高法院开庭时法庭执法官都会庄严宣告："全体起立，尊敬的明尼苏达州最高法院大法官们到庭。"(All rise for the honorable justices of the Supreme Court of the state of Minnesota.) 明州最高法院现在有七位大法官，他们是首席大法官洛瑞·吉迪亚 (Lorie Skjerven Gildea)，大法官阿兰·佩奇 (Alan C. Page)，大法官巴里·安

德森 (G. Barry Anderson)，大法官克里斯托弗·迪耶森 (Christopher J. Dietzen)，大法官戴维·斯特拉斯 (David R. Stras)，大法官维赫米娜·怀特 (Wilhelmina M. Wright) 和大法官戴维·利勒浩 (David L. Lillehaug)。大法官的排名是根据在法庭的服务年限来定的，除了首席大法官之外。

明尼苏达州最高法院 2014 年度七位大法官合影
前排左起：阿兰·佩奇 (Alan C. Page) 大法官；洛瑞·吉迪亚 (Lorie Skjerven Gildea) 首席大法官；巴里·安德森 (G. Barry Anderson) 大法官
后排左起：大法官维赫米娜·怀特 (Wilhelmina M. Wright)，克里斯托弗·迪耶森 (Christopher J. Dietzen)；戴维·斯特拉斯 (David R. Stras) 大法官；大法官戴维·利勒浩 (David L. Lillehaug)

明州最高法院也是一个上诉法院，区别于初审法院。明州的另外一个上诉法院是建立于 1983 年的明尼苏达上诉法院 (Minnesota Court of Appeals)，处于最高法院和各地区法院中间。1983 年以前，最高法院每年需要处理最多达 1800 件案件，明尼苏达上诉法院分担了很大一部分案件之后，现在最高法院每年只需要处理 900 件左右案件。

各州最高法院的职责除了处理从下级法院来的上诉案件外，还管理整个州的司法体系，指导司法系统的改善，以及颁发律师执照和管理律师。在美国，律师的第一个执业资格都是由州最高法院批准的，在获得第一个执业资格后，律师还可以申请其他州或者各级联邦法院的律师执照。每一个州的最高法院都为在本州司法管辖权 (Jurisdiction)

地区内（无论是州最高法院，上诉法院，还是各地区法院）执业的合格律师颁发执照，每一个联邦法院也为在该法院司法管辖权地区执业的合格律师颁发执照。法学院毕业生参加州法律考试委员会举办的律师资格考试，同时经过背景调查，两方面都合格者获准参加最高法院大法官主持的律师就职宣誓仪式。律师被认为是“法庭官员”(Officer of the Court) 之一，受律师职业伦理道德规范和法院规章制度的双重制约。

在律师宣誓就职仪式上，所有律师候选人都要庄严宣誓。明尼苏达州的律师宣誓词如下：“你庄严宣誓你将支持美利坚合众国宪法和明尼苏达州宪法，作为律师和法律顾问，你将秉持公正和端庄之态度，以你全部知识、最佳决断和忠诚供职法庭，服务客户。你绝不作伪，绝不欺诈，绝不因金钱或恶意以拖延客户之托。以此相助上苍。”

遥闻中国司法部日前也出台了《关于建立律师宣誓制度的决定》，堪称“中学为体，西学为用”的典范。两者并列阅读，获益匪浅。司法部规定的中国执业律师宣誓词如下：“我志愿成为一名中华人民共和国执业律师，我保证忠实履行中国特色社会主义法律工作者的神圣使命，忠于祖国，忠于人民，拥护中国共产党的领导，拥护社会主义制度，维护宪法和法律尊严，执业为民，勤勉敬业，诚信廉洁，维护当事人合法权益，维护法律正确实施，维护社会公平正义，为中国特色社会主义事业努力奋斗！”

明州最高法院的保罗·安德森 (Paul Anderson) 前大法官与中国联系密切。他在 2008 年和 2011 年两次访华，在各大法学院巡回演讲。安德森大法官也访问了最高人民法院和多家省级高院。

安德森大法官和中国法官和法学家交流的时候，需要花费很大力气解释“联邦主义 / 联邦制”(Federalism) 的概念：为什么一个州会有自己的宪法，为什么州的三套政府系统（行政、立法、司法都不需要向美国的“中央”— 联邦系统的相应部门汇报？为什么说联邦最高法院并不是各州最高法院的“上级主管单位”？安德森大法官指出：在美国每一个州都有自己的一部宪法，另外全国还有一部联邦宪法。浙江省高级人民法院的法官回应安德森大法官：这在中国是不可想象的事情，不能想象浙江省有浙江省的宪法，另外还有一个中华人民共和国宪法。这种困惑可以理解，因为联邦制对中国人来说是很陌生的系统。

联邦制是两个或多个分享权力的政府对同一地理区域及其人口行使权力的体制。联邦制国家由各个联邦成员组成，各成员单位先于联邦国家存在。在美国，公民首先是某一州的公民，然后才是美国公民。公民日常生活婚丧嫁娶、购置产业、从事商业活动，都主要是和州政府打交道。美国人没有全国统一的身份证，各州颁发的驾驶执照就是美国人最普遍的身份证件 (Identification Card)。美国联邦制的主要特征是：国家是以自主性政治实体 — 州所组成的联盟；立法权分属联邦政府以及各州政府；人民同时享有联邦以及州的双重公民身分；两级政府皆拥有立法、司法、行政、文官体系等完整权限；联邦在宪法权限上对州具有优先性。

在美国法律界和政界，联邦主义是一个持久的争论主题。民主党 (Democrat) 一般比较重视联邦权力，共和党 (republican) 一般比较重视州政府的自治权力。由于美国法律有一个基本逻辑是：联邦宪法上未指明属于联邦政府的权力，就属于州政府所有。但是由于美国司法体系的独立存在，法院系统可以根据判例法逐步对州的权力进行规范。历史上著名的“合并原则” (incorporation doctrine) 指的是通过美国宪法第十四修正案的“正当法律程序” (due process) 条款，将最初仅对联邦有拘束力的《权利法案》 (Bill of Rights) 内容，同样对州产生拘束力的宪法原则。

在美国司法体系上，联邦法院系统具有有限司法管辖权 (limited jurisdiction)，州司法体系拥有一般/普通司法管辖权 (general jurisdiction)。联邦法院系统只处理以下五种案件：1）美利坚合众国是争议或讼辩一方的案件；2）涉及外国官员的案件；3）涉及来自不同州的居民的案件；4）涉及美利坚合众国联邦宪法问题的案件；5）涉及专利、版权和破产问题的案件。州法院系统可以处理除了上述 1）、2）、和 5）类案件之外的所有案件。所以可以说，州法院处理的司法案件无论从数量还是种类上都要远远多于联邦法院。

安德森大法官还被中国法官问到：州宪法和联邦宪法哪个大？安德森大法官回答说：这个问题实际上应该问，谁能够给人民提供更多的保护，更多的权利？那么回答是：州宪法。州宪法和州里面的其他法律不能跟联邦宪法有冲突，但是可以增加些内容。比如说，联邦宪法说人民享有一、二、三个权利，州宪法说本州居民除了这三种权利外，还拥有两种权利，这是完全允许和合理的。

安德森大法官还被问到一个更微妙的问题：州最高法院大法官和联邦最高法院大法官哪个大？回答是由于州法院系统和联邦法院系统没有垂直报告关系，分别管辖的案件也有明确分工，所以基本上没有谁大谁小的问题。 但是安德森大法官举了一个具体的例子来解释这两个法院之间的复杂关系：联邦最高法院可以向州最高法院发出“调卷令”(writ of certiorari)，复核或者重审某一案件，然后判决是确认还是推翻州最高法院的判决。但是州最高法院在决定某一案件时，既可以选择在联邦宪法和州宪法双重法律框架下决断案件；也可以选择只在州宪法的框架下决断该案件，不涉及联邦宪法条款，在后一种情况下，由于案件只涉及纯粹的州宪法问题，联邦最高法院无法发言。所以说，虽然联邦最高法院确实可能推翻州最高法院的判决，但是州最高法院可以策略性地限制某一判例法的适用性，使联邦最高法院根本无从置喙州内部问题。从这一个例子中也可以看到美国政治体系中无所不在的分权逻辑，最大程度上地防止权力的集中和变异。

明州最高法院壁画上的孔子
Confucius Mural in the Minnesota Supreme Court

美国明尼苏达州最高法院的审判庭里有一幅绘有孔子的壁画，下文是这幅壁画背后的故事。

明尼苏达州最高法院 (Supreme Court of Minnesota) 是州政府三个分支中司法系统分支的最高机构，也是最高的上诉法院和终审法院 (the court of the last resort)，对于明州州宪法问题有最终发言权。明州最高法院由七位大法官 (Justice) 组成，负责审阅从州内各初审法院，明州上诉法院，税务法院等上诉来的案件，最高法院的每一个司法判决都是全州的最高判例法 (case law)。

判例 / 先例 / 前例 (Precedent)，指的是法院的判决是同级法院或下级法院以后处理有相同或类似法律问题案件的范例。以前的司法判决是以后处理类似案件的法律依据。判例出自英美普通法 (common law) 法律传统中最核心的“因循前例”原则：拉丁原文“stare decisis”，意思是“遵循已经决定的事项”(to stand by things decided)。这对保证法律的稳定性和客观性至关重要。“因循前例”原则大大减少了司法实践中的个人主观因素，法官们的自由裁量权 (discretion) 在很大程度上受到此原则的制约，由此增强法治 (rule of law)，摒除人治 (rule of man)。

明尼苏达州最高法院有两个审判庭，一个新审判庭位于明尼苏达州司法中心 (Minnesota Judicial Center) 的三层，一个旧审判庭位于明州议会山庄 (Minnesota State Capitol) 的二层东翼。从 1905 年到 1990 年，明州最高法院庭审是在议会山庄的旧审判庭中进行的。1990 年，明州司法中心大楼投入使用，明州最高法院和明州上诉法院 (Minnesota Court of Appeals) 在楼内各拥有了一个新的审判庭，两个法院所有法官们也都拥有了独立的办公室 (Chamber)。最高法院的大部分案件庭辩在司法中心的新审判庭中进行，少数案件仍然使用议会山庄二楼的旧审判庭。

旧审判庭庄严典雅，装饰繁复。庭内飞檐上用金字铭刻“Lex”：拉丁语的“法律”一词。审判庭顶上绘有四幅弦月窗型 (lunette) 壁画，每一幅都描绘一个历史场景，以寓言式的方式表达与法律相关的理念或原则，展现法律和社会关系的发展和进步。在大法官们的审判席正上方的壁画描绘摩西 (Moses) 在西奈山从上帝处接受“十诫”(Ten Commandments)，这一场景代表人类的道德意识和神圣的法律是文明与野蛮的分界线。在审判庭入口上方的壁画描绘古希腊哲人苏格拉底在克法罗斯 (Cephalus) 家中讨论的场景。苏格拉底闻名于以其特有的提问法启发学生，这种诘问式教学方法“苏格拉底教学法”(Socratic Method) 是美国主流法学教育的主要教学方式，也是上诉法庭法官对出庭律师提问的常用技巧。审判庭穹顶右侧的壁画描绘中世纪时，图卢兹的雷蒙德伯爵 (Raymond of Toulouse) 与教会代表会谈，试图和平解决争议，这种对于不同利益矛盾的解决和衡平 (Equity) 机制逐渐演变成为了法院。穹顶左侧的名为“记录判例”(The Recording of Precedents) 的壁画描绘的是中国的孔子和他的门生们在整理文献，记录经典和法律。

这四幅壁画的创作者是约翰·拉·法基 (John La Farge)，十九世纪晚期非常活跃的画家和装饰家。拉·法基于 1835 年生于纽约，早年曾一度热衷于法律，但在 1856 年巴黎之行后决定从事艺术创作。他是美国最早地在创作中引入日本艺术的形式主义和范式的前驱之一。1873 年他为波士顿三一教堂 (Trinity Church) 创作了壁画，随后又为纽约的耶稣升天教堂 (Church of the Ascension) 和圣保罗教堂 (St. Paul’s Chapel) 装饰。当拉·法基 1906 年在创作明州的这组壁画的时候，他已经是 71 岁高龄，明州最高法院旧审判庭的这一组壁画，加上他为位于巴尔的摩的马里兰州最高法院创作的同样以正义 (Justice) 为主题的壁画，被认为是拉·法基壁画创作的巅峰作品，同时代表着十九世纪美国经典壁画创作的优良传统。

明州最高法院中的孔子壁画

拉·法基的孔子壁画描绘的是孔子和他的门生们在青山翠林之间，盘膝而座，展阅文献，记录历史。这幅画并不特指某一历史时刻，而是描绘一个理想场景来表现古代东方哲人重视历史和法律，为后人而留下记录。画幅的最右方，孔子的一位门生手持一幅卷轴，打开的部分显露出四个汉字：“绘事后素”。根据拉·法基的传记描述，拉·法基的日本裔助手冈仓 (Okakura) 根据画家的指示加上了这句孔子的格言，原意为“先有白色底子，才能进行彩绘”。此句语出《论语·八佾》：“子夏问曰：‘巧笑倩兮，美目盼兮，素以为绚兮。’何谓也？”子曰：“绘事后素。”曰：“礼后乎？”子曰：“起予者商也，始可与言诗已矣。”朱熹集注：“绘事，绘画之事也；后素，后於素也。《考工记》曰：‘绘画之事后素功。’谓先以粉地为质，而后施五采，犹人有美质，然后可加文饰。”后世以“绘事后素”比喻有良好的质地，才能进行锦上添花的加工。在这组壁画创作初期，画家拉·法基与负责议会山庄后勤事务的董事会产生了诸多矛盾，董事会因为绘画工程进展缓慢而抱怨，甚至一度迟付酬金。而画家认为董事会不理解绘画工程的流程——先打底，再彩绘。画家按时完成了创作任务，这画作中隐藏了这个古奥的典故暗讽行政人员不懂艺术。但是“绘事后素”在此还有另一个重要的引申涵义，与社会治理相关。

《论语·八佾》的上述引文翻译成白话是：子夏问孔子：“‘笑得

真好看啊，美丽的眼睛真明亮啊，用素粉来打扮啊。’这几句话是什么意思呢？”孔子说：“这是说先有白底然后画画。”子夏又问：“那么，是不是说礼也是后起的事呢？”孔子说：“商，你真是能启发我的人，现在可以同你讨论《诗经》了。”孔子和子夏貌似在讨论绘画技巧，触类旁通，实际上是在讨论社会秩序和治理，具体到“仁”和“礼”的顺序。“仁先礼后”，即先有“仁”作为修养的基石，而后学“礼”，两者顺序有先后，所谓“文质彬彬，然后君子。”

画家拉·法基在1886年访问了日本，在1887年出版了《艺术家发自日本的信》(*An Artist's Letters from Japan*)，表明他对深受儒家美学影响的日本文艺多有思考。我们无从考证画家是否对孔子的礼教观念表示赞同，但他选择在名为“记录判例”的壁画中描绘孔子，说明他似乎认为孔子尊重历史和法律判例，而且这种尊重某种程度上合乎人类法律文明发展的轨迹。同时，在画作中加入“绘事后素”一词实际上是牵强地暗示“先有白色底子，才能进行彩绘”可以触类旁通到法律领域：先有判例，然后才能依据判案。

但是这里表现的孔子和法律判例的关联是缺乏根据的。

谈到历史，孔子删《诗》、《书》，笔削《春秋》，他对历史记录采取一种暧昧的态度：孔子对于历史和当代的重大史实，难于定论的，则欲言又止，采取讳而不言的态度。既不明记其事，又不断然否认，此即所谓的“微言大义”。此外，写史时恪守“为尊者讳，为亲者讳，为贤者讳”，以示尊重，是为“春秋笔法”。

孔子壁画局部——绘事后素

谈到法律，孔子反对制定和颁布刑律。公元前513年（晋顷公十三年），“冬，晋赵鞅、荀寅帅师城汝滨，遂赋晋国一鼓铁，以铸刑鼎，著范宣子所为刑书焉。”孔子对此强烈抨击：“晋其亡乎！失其度矣。夫晋国将守唐叔之所受法度，以经纬其民，卿大夫以序守之，民是以能尊其贵，贵是以能守其业。贵贱不愆，所谓度也。……今弃是度也，而为刑鼎，民在鼎矣，何以尊贵？贵何业之守？贵贱无序，何以为国？”（《孔子家语·正论解》）。据美国汉学家史华兹（Benjamin Schwartz）在《古代中国的思想世界》(*The World of Thought in Ancient China*) 中的解释，按照孔子的逻辑，法典提供的行为模式可以支配民众的行为，而作为伦理模范的贵族可以通过以身作则的方式，指导民众的行为；如果将法律公之于众，以之强化法律对于民众的支配地位，就必然会削弱贵族对于民众的道德权威和支配地位。这样将不是合乎“礼治”的社会。

这样看来，以孔子作为尊重法律，记录判例的代表可能是在寻找文化普遍性中的一种误读。

尽管画家拉·法基非常重视不同文化的差异，事实上当孔子壁画完全完成之后，画家突然意识到他把孔子的衣服绘成了金黄色，回忆起他读的某本书中提到孔子认为穿戴金黄色的衣服不妥，于是画家改换衣服的颜色，然后几乎重新把壁画的颜色又调整了一遍。尽管有这样认真的态度，但是壁画中时代错乱的卷轴（孔子的时代应该是竹简）和门生的清朝满族发型仍然暴露了局外人无从自觉地尴尬。

在美国，孔子一直被视为是东方智慧的象征和中国古代法律的人格体现。不仅是明尼苏达州最高法院，甚至在首都华盛顿的美国联邦最高法院也能看到孔子的身影。在联邦最高法院大楼东侧顶层飞檐下有一组名为“正义是自由的守护者”(Justice the Guardian of Liberty) 的浮雕，表现的是古代东方文明作为现代法律思想的源泉，摩西、梭罗和孔子被置于正中，被尊为三位伟大的立法者 (lawgiver)。

联邦最高法院大楼东侧飞檐

在东西方法律传统和法律文化交流和对话的时候，我们似乎必然“戴着有色眼镜”观看对方，因为我们生活在自己的文化环境、语言词汇和思维模式之中，任何人思考问题的方式都受其自身文化和语言的制约。意大利历史学家克罗齐 (Benedetto Croce) 曾经说过：“所有的历史都是当代史。”因为修史和学史之人无法出离自身时代和认知系统的边界，我们都在为当前而解释过去。触类旁通，我们可以不可以也说：西方对东方的描绘实际上都是西方为自身的描绘呢?

明尼苏达州最高法院 2011–2012 年度回顾
Minnesota Supreme Court Review 2011–2012

明尼苏达州最高法院 2011-2012 年度七位大法官合影
前排左起：阿兰·佩奇 (Alan C. Page) 大法官；洛瑞·吉迪亚 (Lorie Skjerven Gildea) 首席大法官；保罗·安德森 (Paul H. Anderson) 大法官
后排左起：克里斯托弗·迪耶森 (Christopher J. Dietzen) 大法官；海伦·迈耶 (Helen M. Meyer) 大法官；巴里·安德森 (G. Barry Anderson) 大法官；戴维·斯特拉斯 (David R. Stras) 大法官

明尼苏达州最高法院于 2012 年 10 月初开始了 2012-2013 审判季，本文回顾 2011 年 9 月 – 2012 年 6 月审判季中的重要事件和判例法。

明尼苏达州最高法院正处在一个变化的时期，近年来大法官更替频繁，法理和意识形态分歧渐趋明显，案件判决中多数意见 (Majority Opinion，即判例法) 和反对意见 (Dissent，少数大法官反对多数意见，没有法律效力) 往往针锋相对，反对意见日渐增多。

2012 年 5 月，年仅 58 岁、在最高法院供职 10 年之久的海伦·迈

耶大法官 (Justice Helen Meyer) 决定提前退休。她在 2002 年由明尼苏达州第 38 任州长杰西·文杜拉 (Jesse Ventura) 任命为州最高法院大法官，2004 年和 2008 年两次竞选连任。迈耶大法官留下的空缺给予了现任州长马克·戴顿 (Mark Dayton) 第一次任命州最高法院大法官的机会。2012 年 8 月，戴顿州长任命明州上诉法院法官维赫米娜·怀特 (Wilhelmina Wright) 为明尼苏达州最高法院大法官，接替退休的海伦·迈耶大法官。怀特大法官成为明州历史上第一位非裔女性大法官。

州最高法院的一个重要功能是审批规范律师执业资格，明州最高法院在本年度对律师在明州执业的规定做出重要修改：原来规定只有美国律师协会 (American Bar Association) 正式认定的法学院毕业生才有资格参加明州律师资格考试，新规定是如果申请者毕业于非美国律师协会正式认定的法学院，但是已经拥有其他州律师资格并且在过去 7 年中有 5 年是以法律执业为主要工作的，现在可以被允许参加明尼苏达州律师资格考试，如果成绩合格并且通过背景调查，可以获得明尼苏达州律师执照。

本年度审判季从 2011 年 9 月开始，2012 年 6 月结束，明州最高法院共接到 122 件强制和原初司法管辖权案件 (mandatory and original jurisdiction, 即州最高法院根据程序必须加以审理和判决的案件)，其中一级谋杀案上诉 12 件；一级谋杀案判决后减免刑申请 16 件；税务法院上诉 13 件；工人酬劳上诉法院 (Minnesota Workers' Compensation Court of Appeals) 上诉 20 件；律师惩戒案件 52 件；法官惩戒案件 2 件；民事案件 5 件；法庭令申请 2 件。最高法院另外还收到 602 件上诉申请 (petition for further review)，其中民事案件略多于刑事案件。最高法院接受并批准了 71 件，拒绝了 531 件。本年度明州最高法院总共进行了 126 次法庭庭辩，共颁布了 95 件司法意见判决书（明尼苏达州判例法）。

本年度的主要案件如下：

《明尼苏达州诉兰道夫案》*(State v. Randolph)*: 一被告人在地区法院被诉家庭暴力，并被定罪，他请求法院委派一位公共辩护人 (public defender) 代表他上诉。地区法院指定了一位私人执业的律师，并说明郡政府负责律师费用。但是郡政府拒绝支付，于是地区法院重新下令政府的公共辩护人办公室提供律师代理人，或者支付该私人执业律师的费用。公共辩护人办公室不服，上诉到最高法院。最高法院判决：在上诉过程中，经济拮据的被告人有权获取法律协助，比如说法庭指定的私人执业律师，但是不一定是免费的公共辩护人。州政府，而不是公共辩护人办公室和郡政府，需要为合理的律师费用买单。如果州政府拒绝提供财政资助，那么就意味着在州政府与该被告的诉讼中，被告将由于经济原因无法在初审败诉之后继续在上诉阶段得到法律协助。在这种特殊情况下，州最高法院将有权宣布拒绝整个案件，下令州政府撤诉，实际等于被告人胜利。这个案件表明美国法院高度重视宪法中规定的被告人有权获得法律协助的规定，在司法过程中倾向于保护弱势一方。

《强森案》（*In Re Johnson*）涉及印地安人法律。在美国，印地安原住民拥有真正意义的自治，各部落的保留区 (reserve) 具有和州一样稳固的地位。联邦政府承认印第安人的自治权，允许印第安人建立行政机制和程序，以确保印第安人原住民部落能够实施自己的法治，在保留区内完全自治。基本上可以说，散布在美国各州的原住民保留地基本上属于国中之国。在此案中，明州的一个郡政府控告两名拥有印地安原住民身份的人，寻求法庭令将他们定为“具有危险性的性侵犯者”(sexually dangerous person)。两名被告在法庭上声称地区法院不具有司法管辖权，法庭不同意。案件最后上诉到最高法院。最高法院判决尽管明尼苏达州对印地安保留地只有有限民事管辖权，但州法院对此案的的特殊问题具有司法管辖权。此案的推理逻辑是虽然印地安人自治，但仍然在很多方面与外部法律体系发生关系，印地安人保留地的自治并不是法律豁免。

《罗米勒诉哈特案》*(Rohmiller v. Hart)*

一个孩子的母亲去世了，孩子的父亲拥有抚养权。父亲不允许孩子的外祖父和姨母定期探望孩子，于是外祖父和姨母向法庭申请联合且不受孩子父亲监视的探视权 (Unsupervised visitation)。地区法院批准了申请。父亲向上诉法院上诉，要求推翻地区法院的许可。明州上诉法院确认外祖父拥有探视权，但是姨母没有法定探视权。孩子的姨母申诉到最高法院。最高法院确认了明州上诉法院的裁决：不论在成文法还是普通法里面，孩子的姨母都没有当然的探视权。如果孩子的父亲反对，地区法院也不应该在给予孩子的外祖父探视权之外，另外给予孩子的姨母以探视权，因为姨母并不是孩子的替代父母 (loco parentis)。最高法院还指出，在普通法、成文法没有规定的情况下，在孩子父亲的反对之下，法院没有权利以"孩子的最佳利益"(the best interests of the child) 为由给予姨母探视权。法院也同时明确，这个判决并不是说当孩子访问外祖父的时候，孩子的姨母不能与孩子见面。此案表面涉及法律和人情，实际上是确切的司法管辖权问题，哪些事情法院可以处理，哪些事情法院不宜裁判。

《明尼苏达州诉萨尔案》*(State v. Sahr)*

明州检察官以一级刑事性接触罪名 (first-degree criminal sexual contact) 起诉麦克·萨尔。被告的律师向法庭提起动议 (motion)，要求撤销案件，因为起诉书中所列事实不足以支持以该罪名起诉。负责初审的地区法院应要求撤销了案件。明州政府向该地区法院提起另一动议，准备以二级刑事犯罪行为 (second-degree criminal conduct) 起诉萨尔。地区法院拒绝政府的动议，指出如果允许政府以另一罪名起诉萨尔则违反了美国宪法第五修正案中的"禁止双重危险原则"(double jeopardy)。政府上诉到明州上诉法院，上诉法院把案件发回地区法院再审。地区法院再审决断：政府准备在第二次起诉的犯罪行为就是政府第一次起诉的的犯罪行为，而第一次起诉已经在地区法院被撤销；所以如果允许第二次起诉，将违反"禁止双重危险原则"。明州上诉法院随后推翻了地区法院的裁决。明州最高法院最后在此案中推翻了明州上诉法院，支持地区法院。最高法院指出：地区法院对第一次起诉的撤销相当于在法律依据上宣布被告无罪，宪法的"禁止双重危险原则"保护萨尔不会因为同一行为而被再次以新罪名起诉。

“禁止双重危险原则”，又称“禁止二重起诉”或者“一事不再理”，在很多普通法国家和大陆法国家都存在，为宪法上的权利，属于人民基本权的一种。而其主要的内容在于避免被告就同一犯罪遭受到两次以上的审判 。美国宪法第五修正案明确规定“禁止双重危险”，严格限制政府公权力的滥用，避免政府就同一被告的同一案件再行予以追诉，保护个人免于被诉讼反复干扰。因为当一个事实问题已经由一个有效且最终的判决所判定后，该问题即不应该就相同的当事人于未来的任何诉讼中加以审理。该原则明确禁止：就相同的案件被宣告无罪后再行审判，就已经被定罪的案件再行审判，就同一行为多次施以惩罚。“禁止双重危险原则”在中国不存在，反之却有所谓“漏罪”概念，几乎与“禁止双重危险原则”完全相反，最大程度上限制被告正当权利。（2011 年的所谓“李庄漏罪案”即是一实例。）

《明尼苏达州诉赫吉斯案》*(State v. Heiges)*

这是一个引起媒体极大关注的悲剧案件。被告人赫吉斯被逮捕并被起诉二级谋杀罪 (second-degree murder) 和一级杀人罪 (first-degree manslaughter)，她被控诉在生下一个婴儿后，立刻将婴儿溺毙在浴盆之中。在初审法院，陪审团确定被告犯有二级谋杀罪，并宣判被告 299 个月有期徒刑。明州上诉法院确认了判决。被告上诉到最高法院，声辩被告对亲友所谈到的个人罪行不应该被视为“坦白”，因为当时警方调查还没有开始。所以被告的有罪判决缺少证据来补充警方对犯罪行为的确认。最高法院决断被告人的自证其罪的“坦白”可以视为确认谋杀行为之外的补充证据，初审法庭有足够证据判决被告有罪。

《米勒诉兰考案》*(Miller v. Lankow)*

原告米勒购买了一处住宅，这处住宅之前被霉菌侵入并经过维修。但是 18 个月之后，原告又发现住宅里面有霉菌，于是向法庭起诉房屋建筑商。初审法庭判决建筑商胜诉，因为原告在发现问题之后，修复了被霉菌破坏的地方，原始证据于是就失去了。上诉法院同意初审法院。最高法院推翻上诉法院，指出：本案中原告由于健康原因，不得不摧毁“证据”（霉菌），只要原告适当通知了被告“证据”将不得不被摧毁，法庭日后就不能以证据丢失为理由惩罚原告。

《R.S. 和 L.S. 之子的福祉案》*(In re Welfare of Child of R.S. and L.S.)*

此案涉及一个印第安人孩子的福祉。当印第安人父母的抚养权被地区法院终结后，印第安部族申请由印第人部族法院来决断如何在寻找到收养家庭之前安顿孩子的最佳方式，尽管该孩子并不住在印第安人保留地。地区法院和上诉法院都同意，但最高法院否决。最高法院认为《印第安儿童福利法》(Indian Child Welfare Act) 和《明尼苏达儿童保护条例》(Minnesota Rules of Juv enile Protection) 规定部族法院只能处理两种情况：寄养家庭安排和终结父母抚养权，本案中涉及的问题不包括在其中。本案判决争议极大，评论普遍认为最高法院多数方的判决遵循教条，忽视儿童真正的福祉和生活。

《明尼苏达州诉伯格案》*(State v. Borg)*

联邦宪法第五修正案禁止政府强迫犯罪嫌疑人自证其罪，也禁止检方在法庭上以犯罪嫌疑人拒绝作证为由暗示其有罪。但是如果犯罪嫌疑人在被拘押期间没有受到政府方面的强迫自白或者强迫保持沉默，那么第五修正案就不适用。

《KSTP 电视台诉兰姆基郡案》*(KSTP-TV v. Ramsey County)*

2008 年大选期间，有一些缺席选票 (absentee ballots) 由于各种“缺陷”未被开封并没有计算入最后结果。多家电视台以《明尼苏达州政府数据实践法案》(Minnesota Government Data Practices Act) 为诉由要求将这些选票公开，但最高法院认为根据该法，这些选票并不是公开的政府数据，电视台不能检查和拷贝这些密封的选票。

《威斯利诉弗洛案》*(Wesely v. Flor)*

牙病患者诉牙医医疗渎职，但是原告提供的专家证言 (expert testimony) 是由内科医生提供的，接下来患者又提供了一份其他牙医的证言。被告要求法庭撤销诉讼，但是最高法院最后裁定患者可以提供第二份医学专家证言来支持诉讼。

《明尼苏达州诉蔡斯案》*(State v. Zais)*：被告被诉对妻子有暴力行为，检方证词是由妻子提供的。但是被告以“婚姻保密特权”(marital privilege) 提出动议要求摒除妻子证言。最高法院裁定如果夫妻一方被诉对另一方有暴力行为，“婚姻保密特权”不再适用。

《明尼苏达州诉奥比塔案》*(State v. Obeta)*

最高法院在此案中裁定在性侵犯案件中，如果犯罪嫌疑人辩称性行为是双方同意的，地区法院可以行使自由裁量权 (discretion) 来决定是否接纳专家证言来证明在性侵犯案件中受害者是否可能会晚报案、是否一定会有物理性身体伤害存在，还有是否会有被动服从行为，如果地区法院认定这些证言将有利于陪审团探寻事实真相的话。

《关于 M.L.M 的福祉案》*(In Re Welfare of M.L.M)*

一位未成年的犯罪嫌疑人在辩护其重罪指控的时候同时辩护其轻罪指控。初审法庭命令犯罪嫌疑人提供 DNA 样本，犯罪嫌疑人辩称这要求是“无理搜查和拘捕”(unreasonable search and seizure)，违反了其在“平权保护”(equal protection) 下的权利。最高法院裁定未成年犯罪嫌疑人在此情况下的隐私权降低，法庭要求其提供 DNA 样本并未侵犯其宪法权利。

《爱丽丝·安·斯塔布诉圣克劳德教区案》*(Alice Ann Staab v. Diocese of St. Cloud)*

原告诉被告教区，称在其教区领地上受到伤害。陪审团裁决被告和未参加诉讼的第三方各有百分之五十的责任，而地区法院要求被告赔偿原告全部损失。但最高法院裁决被告只需要赔偿原告百分之五十的损失。

《联合平原银行 — 山湖分所诉豪根营养和设备公司案》*(United Prairie Bank-Mountain Lake v. Haugen Nutrition & Equipment, LLC)*

最高法院在此案中裁定根据明州宪法，案件的律师费由谁支付应该由陪审团来决定，因为这是一个法律要求 (legal claim)，而不是一个衡平要求 (equitable claim)。

《萨瓦拉诉杜鲁斯市案》*(Savela v. City of Duluth)*

杜鲁斯市的一些退休公务员把市政府告上法庭，声称与政府签订的集体合同中规定：“退休公务员的医疗福利将与现在职人员的医疗福利相当。”但是自他们退休以来，在职人员医疗福利水平下降了。所以这些退休人员要求他们的医疗福利待遇应该与他们退休的时候在职人员享受的水平一样。但是地区、上诉和最高三级法院都判决市政府胜诉。

《拉蒙特诉第 728 独立学区案》*(LaMont v. Ind. School Dist. No. 728)*

原告拉蒙特以《明尼苏达州人权法案》(Minnesota Human Rights Act) 控告学区雇主，声称其在“恶意工作环境”(hostile work environment) 中受到性骚扰。地区法院简易判决学区胜诉，称原告不能以性骚扰为基础来诉告雇主的“恶意工作环境”。最高法院判决原告败诉，但是那是因为原告提供的证据不足，如果证据充足，原告可以以性骚扰为基础来诉告雇主的“恶意工作环境”。

《弗莱泽诉伯灵顿北方圣达菲公司案》*(Frazier v. Burlington Northern Santa Fe Corp.)*

由于火车和道路交叉口的下落门和警告灯因失修而失效，一辆汽车被驶来的火车撞上，四名乘车者当场身亡。地区法院指示陪审团成员以普通法中的“合情合理的普通人标准”(reasonable person standard of care) 来判定被告是否有责任，陪审团由此判决原告胜诉。被告上诉，称该陪审团指示不当。但最高法院最终判定地区法院的陪审团指示并未妨害本案的司法公正，原告仍然胜诉。这是本年度最大赔偿金额的个人伤害案件之一,被害者的亲属原告们获得了2千4百万美元的赔偿。

《泰勒诉 LSL 公司案》*(Taylor v. LSL Corporation)*

原告泰勒是 LSL 公司前台接待，其丈夫是 LSL 公司总裁，在他辞职之后，泰勒也被解职。泰勒诉 LSL 公司违反《明尼苏达州人权法案》，声称她是因为与辞职总裁是夫妻而被解职。地区法院简易判决公司胜诉，因为 LSL 公司并没有损害原告夫妻关系，所有没有违反原告的人权。但上诉法院和最高法院推翻地区法院判决，裁定以该人权法案为诉由并不要求对夫妻关系本身造成损害。

2012 年 11 月的大选中，前州长蒂姆·波兰提 (Tim Pawlenty) 任命的洛瑞·吉迪亚 (Lorie Skjerven Gildea) 首席大法官，巴里·安德森 (G. Barry Anderson) 大法官和戴维·斯特拉斯 (David R. Stras) 大法官都成功击败挑战者，获得连任。

2013 年 5 月底，明州最高法院的保罗·安德森 (Paul H. Anderson) 大法官将在年满 70 岁的时候退休，这将给予州长马克·戴顿 (Mark Dayton) 第二次任命州最高法院大法官的机会。由于安德森大法官意识形态上属于中间偏左的自由进步派阵营，与戴顿州长属于左倾相近，可以预见戴顿州长的提名将仍会是由自由派的法官接任安德森大法官。但是由于安德森大法官多年来充任自由派大法官领袖的地位，继任者从威望和资历将不可能与他相提并论，自由派阵营将蒙受一些损失。加之右倾的四位法官都将连任多年，在可预见的将来，明州最高法院的意识形态天平还将保持右倾。

明尼苏达州最高法院 2012- 2013 年度回顾
Minnesota Supreme Court Review 2012–2013

美国明尼苏达州最高法院于 2013 年 10 月初开始 2013-2014 审判季，本文回顾 2012 年 9 月 – 2013 年 6 月审判季中的重要事件和判例法。

继前一年维赫米娜·怀特 (Wilhelmina Wright) 接任退休的海伦·迈耶大法官 (Helen Meyer) 之后，本年度保罗·安德森大法官在 2013 年 5 月底，年满 70 岁时按州法规定荣休。

在 2009 年，安德森的一句名言使得他成为名人：当时民主党人、前喜剧演员和作家阿尔·弗兰肯 (Al Franken) 与共和党人诺姆·寇曼 (Norm Coleman) 激烈角逐美国联邦参议员席位，关于是否重新计算选票问题双方诉讼到明州最高法院。寇曼的律师在庭上试图引用 2000 年佛罗里达州布什与戈尔争议的前例，暗示寇曼有理。安德森大法官在庭上打断寇曼的律师，坚决地指出“这不是佛罗里达，这是明尼苏达。在明尼苏达辩论你的案件”(This is not Florida, this is Minnesota. Argue your case in Minnesota.)，此句成为坊间一时名言，也是后来一本记录此次参议员竞选争议的纪实文学书籍的书名：*This is Not Florida*. 该案最终判决弗兰肯获胜，现在弗兰肯是明州的两位联邦参议员之一。

安德森的荣休使得马克·戴顿 (Mark Dayton) 州长再次有机会任命最高法院大法官，经过数月研究，州长决定任命现年 59 岁的明州德信律师事务所 (Fredrikson & Byron) 律师戴维·利勒浩 (David L. Lillehaug)。利勒浩毕业于哈佛法学院，曾在 1994 年被克林顿总统任命为联邦检察官 (US Attorney)，后来多年在律师事务所执业。

明州最高法院在 2012 - 2013 年度对《明尼苏达民事诉讼法》(Minnesota Rules of Civil Procedure) 和《明尼苏达法律规则》(Minnesota General Rules of Practice) 等做出了许多重要修正，为明州“民事法律

改革计划”(Civil Justice Reform) 的一部分。

本年度审判季从 2012 年 9 月开始，2013 年 6 月结束，明州最高法院共接到 135 件强制和原初司法管辖权案件 (mandatory and original jurisdiction, 即州最高法院根据程序必须加以审理和判决的案件)，其中一级谋杀案上诉 7 件；一级谋杀案判决后减免刑申请 22 件；税务法院上诉 14 件；工人酬劳上诉法院 (Minnesota Workers' Compensation Court of Appeals) 上诉 19 件；律师惩戒案件 53 件；法官惩戒案件 1 件；民事案件 16 件；法庭令申请 3 件。

最高法院另外还收到 639 件上诉申请 (petition for further review)，其中民事案件 272 件，刑事案件 347 件；以及另外 2 件急案加速审理申请 (Petition for accelerated review)。在这些 641 件申请中，最高法院接受并批准了 65 件（民事 43 件，刑事 22 件），占申请的 10%；拒绝了 572 件。本年度明州最高法院总共进行了 111 次法庭庭辩，共颁布了 141 件司法意见判决书（明尼苏达州判例法）。

本年度的判决的重要案件如下：

源代码证据听证案 *(In Re Source Code Evidentiary Hearings)*：明州的一些因酒后驾车而失去驾照并被起诉的嫌犯们在全州挑起诉讼，挑战明州警方使用的酒精浓度测试仪的准确程度。嫌犯们雇佣的专家证人作证：测试仪内置电子设备的源代码有缺陷，可能造成测试结果不准确。嫌犯们于是向各法院提交动议，要求在审理他们酒后驾车案件的时候，排除酒精浓度测试仪的检测结果，这样警方将没有充足证据指控他们酒后驾车。嫌犯们也请求法院如果检测结果不能被排除，至少允许他们的专家证人在酒后驾车案审理的时候能够当庭作证，指出测试仪源代码的问题。明州最高法院指派达科他郡地区法院作为专门法院来主持听证，统一听取嫌犯们的动议。地区法院经过听证，拒绝了嫌犯们的动议。嫌犯们上诉到明州上诉法院和明州最高法院。明州最高法院 4 对 3 判决：支持地区法院的决定，嫌犯们失败。最高法院认为地区法院已经充分审阅了各方证据，判断测试仪源代码缺陷不会影响测试精确度；地区法院的判决没有侵害嫌犯们的正当程序 (due process) 和公正审理 (fair trial) 权利。这一案件有效终结了长达 6 年之久的法律纠纷，政府 / 警方方面大获全胜。

塔绸诉明尼苏达大学案 *(Tatro v. Univ. of Minnesota)*：此案涉及宪法之中的言论自由条款。这是一个被全国媒体广泛报道的案件。明尼苏达大学太平间科学专业学生阿曼达·塔绸 (Amanda Tatro) 在 Facebook 上发帖，嬉笑怒骂她所学的学科和实验对象 — 尸体，描述她在实验室 / 太平间内的工作和感受。明尼苏达大学学生行为和学术规范办公室 (Office for Student Conduct and Academic Integrity) 经过调查听证，判定学生违反《学生行为守则》(Student Conduct Code)，对其给予处分。塔绸申请明州上诉法院调卷令决断明尼苏达大学的处分是否违法，明州上诉法院支持明尼苏达大学。塔绸上诉到明州最高法院。最高法院最后支持上诉法院和大学的处分决定，指出：塔绸作为一个专业学科的学生，受到特定职业的伦理道德规范的制约，在入学前和学习中也同意遵守这些守则。但是其在社交网站上的帖子极其低级趣味，违背学术规则，玷污职业声誉，影响恶劣。在此情况下，学校对其处分完全合理合法，没有侵犯学生的言论自由。这个案件具有代表性：随着互联网社交媒体的兴起和广泛使用，出现了与在线言论自由有关的新的法律问题，司法体系对这些问题开始作出回应。

明尼苏达州诉克劳利案 *(State v. Crawley)*: 本案涉及宪法言论自由。克劳利在警局声称有警察伪造了她的签名，经调查其声称不实。警方依据《明州法典》(Minnesota Statutes) 中禁止虚假控诉警方不当行为条款起诉克劳利，地区法院判决克劳利败诉。克劳利上诉，上诉法院推翻地区法院判决。上诉法院认为该法典条文违反宪法第一修正案的言论自由条款。政府上诉到最高法院，最高法院研究了具体的《明州法典》条文，认为该条文确实属于对言论内容的控制，而且过于宽泛，但是还不属于对言论自由的限制，因为其只针对诽谤性言论。斯特拉斯大法官、保罗·安德森大法官，和海伦·梅耶大法官反对，指出该条文明确违宪。言论自由的核心精神就是同时保护正确和不正确的言论，不能以刑法惩罚不正确的言论。

麦吉诉劳瑞案 *(McKee v. Laurion)*：这个案件涉及互联网上的言论。被告劳瑞的父亲出血性中风，被送到医院。在病房中见到神经病学医生麦吉。麦吉态度恶劣，言语粗鲁。事后劳瑞在各“评点医生”网站发帖，列举麦吉医生的不当言论。麦吉医生在地区法院起诉劳瑞诽谤。地区法院认为劳瑞的帖子不构成诽谤，简易判决麦吉败诉。麦吉上诉，上诉法院推翻简易判决。劳瑞上诉到最高法院，最高法院推翻上诉法院，判决麦吉医生败诉。最高法院指出：病人家属在互联网上的帖子列举医生的粗鲁言论不能被当作诽谤而控告到法庭。当事人控告对方诽谤，必须证明：1）诽谤言论被传达给他人；2）言论不实；3）言论有意伤害当事人声望并降低其在社群中的地位；4）收到诽谤言论的他人明确认定该言论是针对当事人而发。最重要的是：如果言论基本属实，尽管其中一些细节不准确，仍然不构成诽谤。

简安·穆莱申请案 *(In Re Petition of JaneAnne Murray)*: 此案涉及法律教育和法律执业的全球化。穆莱生于爱尔兰，在爱尔兰接受法学本科教育，随后在英国剑桥大学获法学硕士。1991 她通过纽约州律师资格考试，开始在纽约宝维斯律师事务所工作，后自行执业。2011 年她随先生搬到明州，随后申请免试获得明州律师执业资格。但在明州最高法院现行规定下，她没有资格免试，因为其本科学校未被美国联邦教育部认证，她获得的法学学位也未被美国律师协会 (American Bar Association) 认证。最高法院经过详细研究，鉴于她优秀的教育背景和长期的工作经验，允许她免试获得明州律师执业资格。这一案例代表了原有的法律教育和职业规则在缓慢地变化，以适应全球化的需要。

格罗维根诉西瑞斯设计公司案 *(Glorvigen v. Cirrus Design Corp.)*: 此案涉及“警告责任”(duty to warn) 问题和“教育事故原则”(educational malpractice doctrine)。一位业余飞行员购买了一架小型飞机，虽然飞机制造公司保证提供飞行训练，但交易完成后飞机制造公司未能提供全部培训。一个月后，业余飞行员和他的乘客在一次飞行中遭遇空难死亡。飞行员和乘客家属控告飞机制造公司未能履行警告责任，未能提供有效培训。地区法院判决飞机制造公司负有责任。上诉法院推翻地区法院判决，指出飞机制造商没有培训责任，尽管购买飞机合同中有这个承诺；而且“教育事故原则”禁止这类诉讼。“教育事故原则”指的是一般来讲，学生 / 学员不能以因为教育培训机构未能有效提供教育培训从而造成学生 / 学员损失来控告教育培训机构。最高法院支持上诉法院判决。

迪克霍夫诉格林案 *(Dickhoff v. Green)*: 这是本年度最重要的案件，被媒体广泛报道，也被法学界密切关注，注定将进入法学院教科书。本案源自一个非常令人痛心的悲剧：本案主角乔瑟琳 (Jocelyn Irene Dickhoff) 小姑娘生于 2006 年 6 月 12 日，由于早产，她出生的头两周在明尼苏达大学医院接受监护。6 月 28 日出院回到家乡小城。随后乔瑟琳父母发现她身上有一个肿块，次日乔瑟琳父母带孩子接受小城本地医生常规检查的时候提出肿块问题，医生说可能是囊肿。接下来的一年中，孩子定期接受该医生检查，但该医生持续认为肿块属于良性。直到孩子一周岁在其他医生处检查时发现肿块属于恶性肿瘤。乔瑟琳开始接受治疗，但肿瘤已经增大。乔瑟琳三周岁时，其父母起诉最初误诊的小城医生。地区法院判决医生胜诉，上诉法院推翻，最高法院确认上诉法院，判决医生败诉。本案的法律原则“机会失去”(loss of chance) 指的是：如果由于医生的疏忽，病人未能得到及时地诊断和治疗所患绝症，由此增加了死亡危险，那么医生负有责任。

乔瑟琳 (Jocelyn Irene Dickhoff)
2006.6.12 － 2013.7.6

2013 年 5 月 31 日最高法院公布了司法意见判决书，7 月 6 日乔瑟琳去世，年仅七岁。

J.J.P. 案 *(In Re J.J.P., 831 N.W.2d 260)*: 本案涉及犯罪纪录清除 (expungement) 问题。 本案主角 J.J.P. 在 17 岁未成年的时候，曾犯轻微

偷窃行为，被捕后认罪。数年后他成年的时候申请地区法院清除其在政府行政机关文档中的犯罪记录。地区法院拒绝，上诉法院推翻地区法院。最高法院部分支持上诉法院，部分推翻上诉法院，并把案件发回上诉法院重审。最高法院指出：地区法院清除行政机关文档中关于某人的犯罪纪录的权利是有限的，地区法院必须综合各种因素多方考量，斟酌决定。本案被报道为“不宽恕的社会”(unforgivable society) 案件，因为社会对个人的轻微过失的宽容度非常之低。

明尼苏达州诉 M.D.T. 案 (*State v. M.D.T.*)：本案同样涉及犯罪纪录清除 (expungement) 问题。本案主角 M.D.T. 曾擅自篡改医生处方，去药店取药。被查获后认罪，地区法院判决其犯伪造文书罪 (aggravated forgery)，并判处缓刑。缓刑期满后 M.D.T. 申请法院清除其犯罪纪录，以便申请学校学习。地区法院批准，认为清除记录有利于 M.D.T. 和公众利益。上诉法院确认。最高法院部分推翻，指出三权分离原则下，司法部门对犯罪记录的清除仅限于法庭令部分，司法部门不能命令行政部门也清除文档中的相关记录。这样的结果实际上是记录无法清除。安德森大法官和佩奇大法官撰写了反对意见，指出行政部门花费大量纳税人金钱在此案上，所得结果无外乎保存毫无意义的轻微犯罪纪录。虽然法律原则上成立，逻辑也似乎说得通，但是毫无情理。安德森大法官评论道：“有时候依据法律主持正义容易，但是做真正正确的事情很难。”

明尼苏达州诉斯韦奈案 (*State v. Jeffery Allen Silvernail*)：此案涉及案件公开审理问题 (open trial case)。斯韦奈被控杀害其女友，触犯一级和二级谋杀罪，陪审团闭门审理判决其有罪。斯韦奈上诉指出闭门审判违反了宪法第六修正案公开审理原则，但最高法院认为此点无关大局，陪审团有足够证据判决他有罪。

钱伯斯诉明尼苏达州案 (*Tomothy Patrick Chambers v. State*)：本案主角钱伯斯 17 岁的时候偷盗汽车，并在警车追捕下，开车撞死一位警官。陪审团判定他有罪，地区法院判决他终生监禁不得释放 (life in prison without the possibility of release)。钱伯斯上诉，申辩此判决违反宪法第八修正案禁止“残酷和异常的刑罚”(cruel and unusual punishments) 原则。而且在本案上诉过程中，美国联邦最高法院在米勒诉阿拉巴马州案 (*Miller v. Alabama*, 132 S. Ct. 2455) (2012) 中明确宣布法庭无权判决未成年人终生监禁不得释放。但是明州最高法院多数意见判定钱伯斯仍然败诉，认为联邦最高法院的米勒案的原则不需要被追溯 (retroactive) 适用在此案中。

韦斯特的故事
The Story of West

2013年6月13日，明州的主要媒体和全国与法律有关媒体，包括美国联邦最高法院历史协会的网站上，都在显著位置刊登了一则讣告：双城地区著名企业家，韦斯特法律出版公司前首席执行官 (Former CEO of West Publishing Co.) 杜埃特·奥泊曼 (Dwight Opperman) 在加利福尼亚州贝佛立山 (Beverly Hills) 的家中去世，享年89岁。

美国联邦最高法院历史协会中的
杜埃特·奥泊曼 (Dwight Opperman) 肖像

奥泊曼生于爱荷华州佩里市 (Perry, Iowa)，1951年他从德雷克大学 (Drake University) 法学院毕业后就加入了位于双城的韦斯特法律出版公司，担任法律编辑。他兢兢业业，终于成为公司的首席执行官，并引导韦斯特成为了世界上最大的法律出版商之一，并在1970年代研发了划时代的电子法律数据库平台 Westlaw。

Westlaw 今天已经发展成为拥有四万多个数据库的巨型法律资源库，订阅者遍及全球几十个国家和地区。Westlaw 的成功需要首先归功于奥泊曼的创新精神和远见：早在1970年代初他就意识到法律的电子数据化前景，精确地把握了时代的脉搏。奥泊曼在法律史上的另外一个重要角色是培养了与联邦和州司法系统的亲密和专业的关系，有力地促进了权威法律文献和信息的编辑、出版和传播。在他去世当日，美国联邦最高法院约翰·罗伯茨首席大法官 (Chief Justice John Roberts)

代表联邦最高法院专门发表了如下电文："本法院沉痛悼念杜埃特·奥泊曼先生的去世。杜埃特是联邦最高法院和整个联邦司法体系的忠实朋友和支持者。位于联邦最高法院大楼之后的最高法院历史协会总部奥泊曼大楼就是以他的名字命名的。他对美国司法体系，特别是在该体系中法官的角色，以多种的方式作出了杰出的贡献。"（"The Court was deeply saddened to learn of Dwight Opperman's passing this morning. Dwight has long been a committed friend and supporter not only of the Supreme Court but of the Federal Judiciary as a whole. ……The Society's headquarters building behind the Court is named the Opperman House in his honor. He demonstrated his deep commitment to the American system of justice, and in particular the role of the judge in that system, in countless other ways as well."）

Westlaw 来自于公司名"韦斯特"(West)，在此并非"西方"之意，而是公司创始人约翰· B. 韦斯特 (John B. West) 和赫拉肖·韦斯特 (Horatio West) 的姓氏。

约翰· B. 韦斯特 (John B. West)

1870 年，南北战争刚刚结束数年，痛苦的回忆推动这个躁动不安的国家去西部寻找财富和梦想。被誉为美国大西北的明尼苏达州，商业在密西西比河航运的影响下蒸蒸日上。尽管明州在 12 年前的 1858 年刚刚成为美国联邦的一部分，但该地区已经拥有了强大的经济实力，因为河流作为交通枢纽汇集了纷纷迁来定居的商业嗅觉灵敏的北方皮货商和勤苦耐劳的西部地区农民。

一个来自马萨诸塞州 (Massachusetts) 的铁路工人也把自己年轻的家庭带到了圣保罗 (St. Paul) 这个处于草创阶段的城市。这位工人有一位 18 岁的儿子，名为约翰· B. 韦斯特。韦斯特酷爱旅游，最终找到了一个与他的爱好极为吻合的工作：一家圣保罗书店的旅行推销员。

通过作为旅行推销员推销书本和办公用品的经历，韦斯特洞察到了一个机会：出版法律。由于美国是普通法国家，法庭遵循“先例”(Precedent)，即包含在以前判决中的法律原则对以后同类案件有约束力,具体说就是高级法院的判决对下级法院处理同类案件有约束力，同一法院的判决对其以后的同类案件的判决具有约束力。即指以前判决中的法律原则对以后同类案件具有约束力。所以，为了使他们的案子获得及时权威的法庭裁决和意见，明州当地律师事务所不得不写信给著名的东海岸出版商，以获取相关法庭判例。这无疑给处理案件增加了许多时间和开支。于是，韦斯特在 1872 年就和弟弟赫拉肖成立了约翰· B. 韦斯特出版社和书店 (John B. West, Publisher and Bookseller)。

韦斯特 (West) 很快意识到客户并没有从明尼苏达法庭获取当前判决意见的及时有效方式。那时，法庭的书记员通常会留着各种各样的判决，直到有足够多的判决去合并成为一卷判例集，然后才能出版，这样等待的时间可能长达一年。而且，有时候判例集所囊括的信息是不全面不准确的。韦斯特于是开始编辑出版《判决书要旨》(Syllabi)，这是一份报道明尼苏达法庭意见的新闻周刊。从此开始，法庭判决信息从法庭公布到律师案头的速度比以前快了几十倍，这是法律史上的一个里程碑。

《判决书要旨》刚发行六个月，韦斯特就收到来自威斯康辛州律师的请求，要求在威州出版类似出版物。于是韦斯特开始编辑《西北部地区判例集》(North-Western Reporter)，收录来自明尼苏达州和威斯康辛州的法庭判决。这一思路随即迅速扩张，从西北部到东部、南方，然后全国，最后像互联网一样扩展到了美国所有的州。短短几年，韦斯特出版的“全国判例集系统”(National Reporter System) 迅速及时地出版和报道美国所有州立法院的判决，成为最新的法庭信息标准。

从 1876 年起，韦斯特公司的律师编辑们就开始从司法判决书的文本中寻找“法律点”(points of law，具有判例法效力的判决要旨)。每当在某个案子中寻找到一个“法律点”，律师编辑就撰写一条“眉批”(headnote) 来概述该“法律点”。当韦斯特公司随后出版司法判决书 / 判例法的时候，这一判例中的所有法律点都会以眉批的形式列在判例文本之前。律师和法官等在进行法律文献与信息检索的时候，可以先行浏览这些法律眉批，迅速判断出这个判例是否包涵与他们目前的案件有关的法律点。

为进一步协助法律文献与信息检索工作，从 1908 年起，韦斯特的律师编辑们将法律眉批分类整理。分类的标准是被尊为“美国法律索引”的“WEST 钥匙码系统”(West Key Number System)。该系统将全部的美国法律分为 400 多个主题，下分 10 万多个法律问题，中间包含若干中间层级。从上到下所有层级和问题都有相应的钥匙码标佩。在分类法律眉批时，律师编辑们把每一条撰写出来的眉批都标上相应的钥匙码号码。这样一来，律师和法官们可以通过钥匙码系统迅速寻找到与某一特定法律问题相关的法律眉批和相应的判例法。钥匙码系统的应用革新了律师和法官寻找美国法律的途径。

到第一次世界大战的时候，韦斯特公司就成为了美国最大的出版商。对于法律工作者来说，韦斯特的成功顺理成章。因为现行法律信息对于一个国家来说是不可或缺的。韦斯特敏锐地洞察到国家的民主依靠的是法律的平等，而及时有效地获取法律是法律平等的前提条件之一。纵观历史，法律体系越庞大，法律信息就变得越复杂，法律工作者研究法律就越难，越来越多的法律工作者开始依赖韦斯特的法律出版物获取法律文献和信息。

第一次世界大战之后，美国法律体系随着工业化、城市化的发展和人口的增加日益繁复，新法律问题不断出现，旧法律不断被更新修改。律师有时甚至会发现国会修改的某一法律实际上先前已经被废止了。虽然是普通法国家，美国法律显然已经发展到需要一个独立全面的法典的时代了，尽管法典本来是成文法国家的传统。美国国会出版《美国法典》(United States Code) 之后，韦斯特公司承担起了给美国

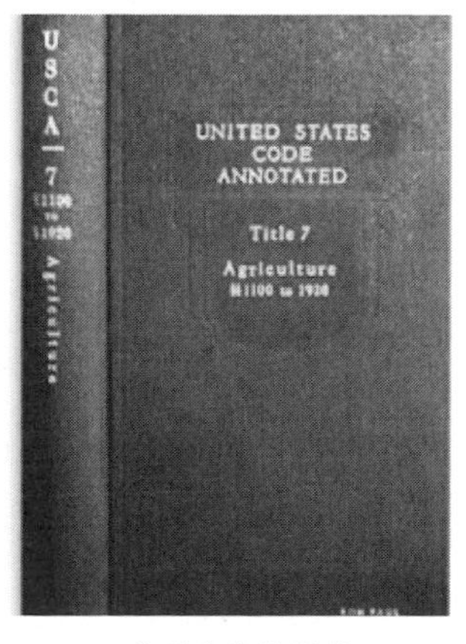

《美国法典注释版》
(USCA) 的一卷

法典注释的任务，编辑出版《美国法典注释版》(United States Code Annotated)。这套注释版美国所有法院和联邦政府部门几乎人手一册。

当美国国家庆祝成立两百周年纪念之际，韦斯特发生了又一次革命：法律工作者可以通过 Westlaw 在线浏览重要的法律文献和信息。位于明尼阿波利斯市的德汇律师事务所 (Dorsey & Whitney) 是 Westlaw 的第一个订阅者。不久，美国联邦最高法院大法官拜伦·怀特 (Justice Byron White) 写信给首席大法官华伦·伯格 (Chief Justice Warren Burger)，请求将 Westlaw 终端接入他的办公室。80 年代之后，随着因特网的普及，在线法律数据库飞速发展。今天，全美国所有法院、所有的法学院和中型以上的律师事务所均有订阅 Westlaw。

韦斯特的故事是一个关于前瞻性和创新性的故事：约翰· B. 韦斯特 (John B. West) 具有远见地认识到及时和权威的法律信息对司法体系正常运作的巨大作用，创造了获取法律知识的新范式，更新了法律工作者寻找法律的途径；杜埃特·奥泊曼 (Dwight Opperman) 先于他人感受到电子数据的革命性，具有魄力地研发了电子法律信息库，彻底更新了美国法律信息的面貌。

奥巴马总统在哈佛法学院图书馆，1989 年前后

奥巴马总统毕业于哈佛法学院，律师出身，所以他对法律的权威和公正深有体会："遵循以往法律判例，成文法规，以及宪法解释将决定 95% 的司法案件的判决结果，所以，无论法官本人的意识形态是左倾还是右倾，他们对绝大多数案件的审判原则都是一致的，大多数案件的审判结果也不会有太大的分歧。"于是，正如美国国会图书馆法律分馆在其网站上指出的，及时有效地获取这些权威的法律就非常关键了："法律信息必须比其他种类的信息更加及时准时，因为法律变化不断。晚一点接受到关于文学作品，漫画，或者居家园艺的书籍和信息可能无伤大雅，但是及时迅速地获得关于成文法和判例法的信息是至关重要的。"

由于他们对法律编辑出版和法律信息学的杰出贡献，约翰· B. 韦斯特 (John B. West) 和杜埃特·奥泊曼 (Dwight Opperman) 无疑都将会进入法律历史的先贤祠 (Pantheon)。

接近民主
Access to Democracy

《接近民主》(Access to Democracy) 是明尼苏达双城地区最著名的地方电视访谈节目之一，由阿兰·米勒 (Alan Miller) 和他的夫人莎朗·米勒 (Sharon Miller) 为伊根电视台 (Eagan TV) 制作，阿兰·米勒主持访谈本地政商学界领袖和文化、体育名流，内容涉及政治、经济、文化、历史诸多方面。节目现已经历时 14 年，播出访谈 1100 多集。从 2011 年起，史蒂夫·弗兰切斯柯 (Steve Francisco) 也开始作为副主持人主持部分访谈。

2011 年 7 月，《接近民主》播出 12 周年之际，明尼苏达最高法院保罗·安德森大法官 (Justice Paul Anderson) 致信阿兰·米勒表示祝贺："在我们的国家和本州处于历史的关键转折期间，你提供了一个交流平台，来讨论和实践民主社会的理想和目标"，因为"一个民主社会的繁荣发展需要其公民的讨论和参与。"美国国父之一托马斯·杰弗逊 (Thomas Jefferson) 曾经说过："社会的最高权力应该在人民手中。如果我们发现人民因为未洞悉全部事实而不能有效地行使自由裁量和支配权，我们应当通过教育使人民获知事实，而不是削减他们的支配权。"安德森大法官认为《接近民主》节目就是在实践杰弗逊的上述教导：教育社区公民获知事实，更好地判断和参与政治，最大程度上地实现代议民主。

阿兰·米勒有一次在加油站排队付费，后面的人轻轻拍了他的肩头并问道："你是电视上那个人吗？"听到肯定回答后，对方说："请继续你的工作，我认为观看你的节目就等于参与政治，为国家服务。"这位观众之所以会这样说，是因为《接近民主》吸引人们聚在一起，开诚布公地讨论政治和文化问题，交流不同的观念。访谈节目是非盈利的，所以免除了商业元素的干扰，话题多可以接触到商业频道不便触及和深入的敏感和思辨话题；另外由于阿兰·米勒的知识份子风格，节目非常平民化和个人化，访谈者和被访谈者充分交流，畅所欲言，偶尔也会唇枪舌剑，充满了思想上的交锋。这也正是为什么访谈节目定名为“接近民主”的原因。通过访谈和讨论，参与者和观众不仅仅是接近了政治、政治家和政治问题，而且也参与到了对与我们生活息息相关的各项政治事务和文化问题的讨论之中来，由此获得新知识，了解政商领袖和社会贤达的立场和意见，并聆听他们的人生故事。

《接近民主》访谈过的政治人士包括：已故伟大的民主政治家、来自明州的联邦参议员保罗·威尔斯通 (Paul Wellstone)、前联邦参议员、现任明州州长马克·戴顿 (Mark Dayton)、联邦参议员安米·克洛巴切尔 (Amy Klobuchar) 和阿尔·弗兰肯 (Al Franken)、前联邦参议员诺姆·寇曼 (Norm Coleman)、州长蒂姆·波兰第 (Tim Pawlenty)、历任明州检察总长麦克·哈奇 (Mike Hatch) 和劳瑞·斯万森 (Lori Swanson)、明州州务卿马克·里奇 (Mark Ritchie)、联邦众议员比尔·卢 (Bill Luther)、约翰·克莱恩 (John Kline) 、肯斯·埃里森 (Keith Ellison) 和贝蒂·麦克洛 (Betty McCollum)、明州最高法院保罗·安德森大法官 (Justice Paul Anderson) 和戴维·斯特拉斯大法官 (David Stras)、伊根市长帕特·安德森 (Pat Anderson) 等等。商界领袖方面包括汤森路透 (Thomson Reuters) 首席技术运营官金理德 (Rick King)、美国联邦信用社首席执行官比尔·贝克 (Bill Baker)、明州双子棒球队 (Minnesota Twins) 总裁戴维·圣彼得 (Dave St. Peter)，还有教育界的明尼苏达大学历任校长马克·尤道夫 (Mark Yudof) 和罗伯特·布鲁尼克斯 (Robert Bruininks)，明州州立大学系统校长和院长；律师、医生、记者、艺术家和作家、工会领袖和民权活动家、宗教界人士等等。《接近民主》也不定期制作特别节目关注社会热点问题和突发事件，譬如致力于解救蒙冤入狱者的“无辜计划” (The Innocence Project) 和卡特琳娜飓风 (Hurricane Katrina) 等。

2008 年中，伊根电视台需要一个新址，阿兰·米勒找到伊根市最大的雇主汤森路透集团 (Thomson Reuters) 的首席技术运营官金理德

(Rick King) 求助。金理德决定在汤森路透拥有七千人的办公大楼里为伊根电视台提供摄影棚和办公场地，这个雪中送炭的帮助使得伊根电视台和《接近民主》节目获得了新生。2009 年 2 月，伊根电视台员工在伊根市长、市行政官员和汤森路透员工的掌声中正式迁址汤森路透大楼。伊根电视台从此开始从高端的数字摄影棚中用高清技术制作电视节目，并成为本地社区友谊的见证。

《接近民主》节目：本书作者王昶（右）接受阿兰·米勒（左）采访

阿兰·米勒 (Alan Miller) 本科毕业于纽约州的雪城大学 (Syracuse University)，主修英文写作；后进入雪城大学法学院学习法律，并获法律博士学位 (J.D.) 和纽约州律师执业资格。法律执业数年后，他加入韦斯特法律出版集团 (West Publishing)，负责《美国法典注释版》(USCA) 等法律的编辑注释工作。在几十年的法律编辑工作中，他还主编过《超越律师执业》(Beyond the Bar) 刊物，该词现在已经成为法学教育界的一个常用表达法。阿兰·米勒是明尼阿波利斯社区和技术学院 (Minneapolis Community and Technical College) 的电影剧作和电影史教授，他也曾经多年教授法律。作为一个著名的自由派知识份子，他是文学大师福克纳 (William Faulkner)、海明威 (Ernest Hemingway) 和法律作家斯科特·杜罗 (Scott Turrow) 的忠实读者，也是出自明州的电影奇才科恩兄弟 (Coen Brothers) 和已故电影导演希德尼·波拉克 (Sydney Pollack) 的忠实影迷。他著有《你能有所作为》(*You Can Make a Difference*) 和《我叫托比》(*My Name Was Toby*) 两本书。

阿兰·米勒 (Alan Miller) 著作
《你能有所作为》

明尼苏达大学
The University of Minnesota

我于 2003 年 8 月入学明尼苏达大学法学院博士班一年级，成为全年级 281 名法学博士生中唯一的一名中国学生。选择明大法学院，一方面是景仰其在国际人权法方面的崇高威望，特别是人权法学家魏大维 (David Weissbrodt) 等教授的学术；一方面是受到明州夏季阳光眩目的误导，对明州冬季的极北苦寒毫无概念。

尽管如此，对我来说，求学于明尼苏达大学法学院，在明大和双城生活无疑是正确的选择。明大法学院秉持自由派 (Liberals) 坚守宪政、人权、自由、平等的理想主义，又恪守白首太玄、无一字无来历的严谨学术传统；明尼苏达大学作为美国历史最悠久、学科建设最完善的研究型公立大学之一，兼容并包多元文化，八音克谐，无相夺伦；主校园所在的双城文化上既享受中部采菊东篱的悠然隐逸，又兼有两岸的开放品格，政治上左倾进步 (Progressive)，文艺生活缤纷雅致。

明大吉祥物：金地鼠 (Golden Gopher)

明尼苏达大学共有五个校区：双城，莫里斯 (Morris)，杜鲁斯 (Duluth)，罗切斯特 (Rochester) 和克鲁克斯顿 (Crookston)，以双城为主校区。双城又分明尼阿波利斯和圣保罗两个校园，而明尼阿波利斯又以密西西比河为界分为东西两岸。法学院、商学院、艺术系、主图书馆等在西岸，理工科、医学院和明大医院等在东岸。

从明大西岸远眺密西西比河东岸校园。
（左侧是横跨密西西比河两岸，连接明大东西两岸校园的华盛顿街大桥。）

位于西岸的明大公共事务学院大楼称亨弗莱学院 (Humphrey)，简称 HHH，以明大校友，合众国第 38 任副总统赫伯特·亨弗莱 (Hubert H. Humphrey) 命名。他早年担任明尼阿波利斯市长，后来在民主党内崛起，成为林登·约翰逊 (Lyndon Johnson) 总统的副总统。1968 年，他被民主党提名竞选总统，惜败给尼克松，之后他从 1970 年开始担任联邦参议员直到 1978 年去世。亨弗莱政治生涯最大的贡献可能是主持起草了《1964 年民权法案》(Civil Rights Act of 1964)，合众国历史上最伟大的立法实践之一。《民权法案》被称为是美国民权的“明亮阳光”，它一劳永逸地立法禁止了基于种族、国籍、宗教信仰、性别的歧视行为，从法律上承认选举平等，终止种族隔离。亨弗莱是一位极富活力和能力的政治家，在他的推动下，美国在环境保护、劳动保护、退休金、联邦医疗保险（Medicare）和联邦医疗补助（Medicaid）、联邦公共教育基金和学生资助、全国文艺和人文

明大校友，美利坚合众国第 38 任副总统
赫伯特·亨弗莱 (Hubert Humphrey)

科学基金、扶贫项目、美国国家自然科学基金 (NSF)、美国国家卫生研究院 (NIH) 等等方面都获得长足进步。蒙代尔曾称赞亨弗莱以其“灵感和天才转变了明尼苏达和美国全国的公众生活”(Hubert's inspiration and genius transformed the public life of Minnesota and the nation.)。

明尼苏达大学简称为“U of M”，但是这对州外人来说有些困惑，因为密歇根大学 (University of Michigan) 也简称为“U of M”。所以明州人干脆称明大为“the U”（大学），这当然不是说明州只有这一所大学，但明大在明州的影响巨大是无疑的。

明大双城主校建于 1851 年，甚至早七年于明尼苏达建州。明尼苏达从 1849 到 1858 年只是一个“领地”(Territory)，在 1858 年才正式成为联邦的一个州。明尼苏达大学是全国 73 所“赠地大学”(Land-Grant University) 之一。1862 年，美国国会通过、林肯总统签署了《莫雷尔赠地法案》(Morrill Land-Grant Act)。该法案将联邦政府拥有的土地赠与各州来兴办、资助高等教育机构。这些大学的宗旨在于教授农学、军事战术和机械工艺，也兼顾人文社会学科教育。这个法案使全国各州分别获得 3 万英亩土地创办大学，并且允许大学将这些土地变卖，用卖地之资作为学校经费。该法案是美国高等教育的里程碑，极大推动了高等教育的普及，使得劳工阶级子弟能获得实用的技术和人文教育。1867 年，明大经过内战时期的短暂关闭之后重开，在校董约翰·菲利茨伯里 (John Sargent Pillsbury) 的推动下，明大获得了联邦政府赠地，度过了财政危机，迅速发展。

菲利茨伯里由此被称为“明尼苏达大学之父”(the father of the University of Minnesota)。在双城校区东岸，有一条路叫作菲利茨伯里路 (Pillsbury Drive)，有一栋楼名为菲利茨伯里楼 (Pillsbury Hall)，都是以他来命名的。菲利茨伯里在 1855 年定居明州后，创建了菲利茨伯里公司，日后发展成为了世界上最大的面粉加工厂。他毕业于明大，从 1863 到 1901 年长期担任明大校董，从 1876 到 1882 年担任明州第八任州长。

菲利茨伯里楼几步之隔是弗威尔楼 (Folwell Hall)，得名于明大第一任校长威廉·弗威尔 (William Watts Folwell)。弗威尔非常重视研究生和职业教育（法、医、商），这与当时社会重视希腊和拉丁传统本科教育很不同。弗威尔还设想大学成为包括博物馆、图书馆的文化中心，是人们“得到建议和信息的自然之地”(“the natural resort for counsel and information”)。

弗威尔在 1869 年出任明大校长的时候，年仅 36 岁。当时的明大仅有八位教员，不到百名学生。1873 年正式授予两名学生文学学士学位；1888 年，正式授出第一个哲学博士 (Ph.D.) 学位。今天的明大系统有近 7 万注册学生，其中双城校区拥有 5 万 3 千学生，是全美国第六大的校园。明大每年授予 1 万 4 千个学位，建校一百多年来共毕业了 40 多万校友。 仅不完全统计，明大教师、学生和校友中共产生了 22 位诺贝尔奖得主 ，5 位普利策奖得主，2 位联邦副总统，20 位联邦内阁部长或美国驻外大使，56 位联邦参议员或众议员，19 位州长（明州及其他州），28 位联邦法官，29 位明州最高法院大法官，9 位明州总检察长，以及不可计数的文人学者、医生律师、商业精英和体育明星。

“明尼苏达大学之父”菲利茨伯里
(John Sargent Pillsbury)

明尼苏达大学首任校长威廉·弗威尔
(William Watts Folwell)

法学院被戏称为“生祠”(temple of living gods)，因为大楼名为“蒙代尔楼”(Mondale Hall)，楼下咖啡厅称“萨利文咖啡厅”(Sullivan Café)。大楼以法学院校友，合众国第42任副总统蒙代尔(Walter Mondale)命名。进入大楼前厅，抬首便是蒙代尔先生的巨幅画像，给人以一种“举头三尺有神明”的错觉，只是这位杰出前辈仍然在明尼阿波利斯市老骥伏枥，发挥余热。毕业多年后有一次我从首都华府飞回双城，邻座即是蒙代尔夫妇。飞机落地后，我主动要帮他们从行李舱中搬下行李，以示尊老爱老。蒙代尔老先生断然拒绝，轻快地自行取下行李，身手依然敏捷，神采依然焕发。

明大法学院校友，美利坚合众国第42任副总统沃尔特·蒙代尔(Walter Mondale)

明尼苏达大学法学院蒙代尔大楼
(Mondale Hall, University of Minnesota Law School)

法学院第一年必修课程中最难最枯燥的是《联邦民事诉讼程序》(Federal Rules of Civil Procedure)，所幸我们有一位风度优雅斯文，治学举重若轻的绅士教授 — 汤姆·萨利文 (Tom Sullivan)。萨利文是著名的反垄断法专家，前任法学院院长，因夫人中年去世，心灰意冷，辞职长期休养。我们入学的时候，他刚刚从悲痛中走出。在他的课堂上，什么样繁复的法条规矩都能被他庖丁解牛般地分割解析成清清楚楚的两点一线，什么样乌云诡谲的程序设计都能被他转化成智力游戏式的挑战。萨利文在 2004 年被推举为明大教务总长 (Provost)，担任整个大学的首席学术官；又在 2012 年被聘为佛蒙特大学 (University of Vermont) 校长。

萨利文求学和教学生涯一直在中西部的公立大学系统，他对东部私立大学系统的“长青藤”(Ivy League) 敬而远之。他时常质疑大学的各种排名游戏，尤其是在人文社会科学方面，如何可能量化评判教授的科研论文质量？如何可能“评估”教授的授课技巧，特别是法学院独一无二的“苏格拉底式教学法”(Socratic Method)? 如何可以区分学生校友的成就和影响？萨利文私下与我们交谈谈到，他曾在美国律师协会 (American Bar Association) 法学教育委员会担任主席，负责认证全美所有法学院的资质和评估教学质量。从他看来：全部 200 所法学院提供的法学基础教育质量相差无几，关键还是学生个人的学术能力职业品质，决定了某一特定学校的整体学术氛围和学生未来事业的走向。但智识分子如萨利文者，实际也并不能免俗。明大法学院在流行的《美国新闻与世界报道》(*U.S. News and World Report*) 的排名上一贯被排为第 20 位，当一次午餐时，我告诉他有一位密歇根州最高法院的大法官给全美法学院的排名中，明大法学院竟然被排到第 3 位，萨利文几乎兴奋地掷出餐叉：“I believe this is the right ranking !” （“我相信这是一个正确的排名！”）

“最后一课”(The Last Lecture) 是美国一些大学的传统，明大也不例外。“最后一课指的是在学期即将结束时，教师在最后一次授课的时候抽出一定的时间，不谈课程内容，而是与学生分享一些自己对生活的想法。”此传统对教师的基本假设是“如果这是你最后一次机会给学生讲课，你准备说些什么？”（“If it were your last chance to give a lecture to students, what would you say?”）

我在明大法学院学习三年，最触动我的一堂课是证据法 (Evidence) 教授唐纳德·马歇尔 (Donald Marshall) 的“最后一课”。马歇尔毕业于耶鲁法学院，从 1966 年开始在明大法学院执教，到 2005 年，他总共教授了大约 7500 名学生。他认为法律职业是我们社会最重要的职业，而律师职业伦理道德 (professional responsibility) 和尽职尽责 (practice diligently) 才能使这个职业发挥应有的作用。无论是讲授证据法、侵权法、产品责任、保险等等，他都不断向学生灌输伦理原则。他的名言是：“Never ‘whisper’ justice.”（正义无需窃窃私语）。

2005 年 4 月 27 日那天，证据法课程的学生接到学校教务通知，临时换教室，从 50 人的大教室换到能容纳 300 人的洛克哈特大讲堂 (Lockhart Hall)。这个讲堂的名字来自法学院第五任院长威廉·洛克哈特 (William B. Lockhart)，正是洛克哈特院长在 1966 年聘用了马歇尔。当我们带着课本来到大讲堂，才发现讲堂里面已经坐满了老中青三代，都是马歇尔历年教过的学生。有法官、检察官、律所合伙人、教授、公司法务长，有的两鬓斑白，有的正当壮年。他们都是得知马歇尔即将退休的消息，自发组织前来听老教授的“最后一课”。

明大法学院教授唐纳德·马歇尔
(Donald Marshall)，1931-2010.

马歇尔被教务人员引入讲堂，看到满屋“学生”，显然出乎意料。他打开教案，如常地讨论《联邦证据条例》(Federal Rules of Evidence) 的最后几节。讨论完毕，他合上教案，环顾讲堂，开始了他的“最后一课”:

“你们都知道我即将退休。我最近发现没有什么事情能比退休更能让人严肃思考了。所以在接下来的一点时间里，我和你们分享一下我的思考。我将要和你们分享的想法和证据法没有什么关系，甚至和法律没有什么关系，但是和人生有关系。我想和你们谈一下个人价值和原则对人生决定的影响，以及如何用这些价值来充实人生。”他接下来列举了对于他本人来说，最重要的六个基本价值和原则：1）基于肤色、种族、性别和个人喜好的歧视是绝对错误的；2）帮助他人和服务社会；3）教育他人，不一定是授课，而是广义地与他人分享你的知识和技能以及对人生的感悟；4）操纵、利用和剥削他人，为自己不当得利，是绝对错误的；5）健康地生活：无论从体力上还是脑力上；6）用心培养有限的几个真正的情感纽带: 家庭成员之间的和朋友之间的。这些真正的情感纽带需要精心呵护，大量时间和精力的投资，所以宜少不宜多。他最后祝愿我们都能够在日后回顾人生的时候不带遗憾和悔恨。

他讲完之后，向他几十年来先后培养的学生们点点头，缓步走出讲堂。全体 300 多名“学生”全体起立，掌声久久不息。

一年之后，我也正式开始了法学教学和科研生涯。从 2006 年至今，我教过的学生也大约有 1700 多，遍布美国、瑞士、意大利和中国各地。2011 年初，我重返明大法学院开始担任兼职教授。我时常会想起萨利文和马歇尔两位教授，他们对教学的专注和投入，他们对学生的教诲和启发，和他们对人生的感悟。对我来说，作为教师，最大的回报就是在教师节和重要节假日收到往日学生的问候。日前在米兰大学讲学期间，在米兰中央火车站 (Milano Centrale) 偶遇七年前在中国政法大学教过的学生。听到学生回忆在我的《美国法律文献与信息检索》(Legal Research in American Law) 课堂上学习美国联邦最高法院判例法时的兴奋，以及我的教学对他们的正面影响，让我再一次回想到了马歇尔在明大法学院的“最后一课”。

1874 年的明尼苏达大学

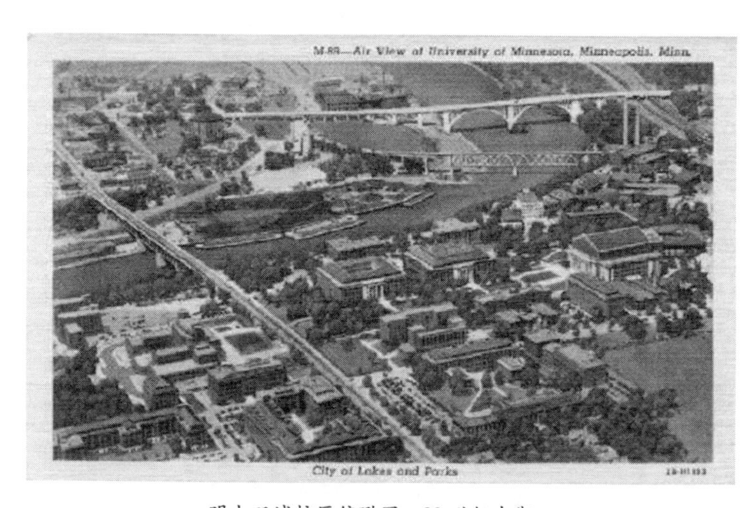

明大双城校区俯瞰图，20 世纪中期。

威廉米切尔法学院
William Mitchell College of Law

威廉米切尔法学院

美国的法学教育属于本科之后的职业教育，与研究生院提供的研究生教育不同，更接近于医学院和商学院的教育模式。美国的法学院提供三种法律方面的学位教育：J.D. (Juridical Doctor 法律博士)，LL.M. (Master of Laws 法学硕士)，J.S.D. (Doctor of Juridical Science 法科学博士)。其中 J.D. 是最传统的学位，提供 J.D. 学位教学的法学院必须获得美国律师协会 (American Bar Association) 的认证。美国法学教育的规定在全世界所有的国家中是独一无二的：美国联邦政府并不控制认证或准许律师执业，而是把该项权利赋予各州的最高法院。各州的最高法院依靠美国律师协会来保证被认证过的法学院的毕业生得到了足够的、实质的法学教育和职业道德伦理培训；拥有足够的、真正的法律职业技巧，能够作为进入律师职业的候选人；能够作为法律的拥护者，为他们的当事人提供负责任的、遵守职业道德伦理的法律服务。

明尼苏达州共有四所得到了美国律师协会认证的法学院：明尼苏达大学法学院，威廉米切尔法学院，汉姆莱大学法学院，以及圣托马斯大学法学院。其中威廉米切尔法学院规模最大，在律师执业实务和知识产权法方面享有威望，被称为“培养真正律师的学校”。

威廉米切尔法学院的前身是圣保罗法学院 (St. Paul College of Law)，由兰姆基郡 (Ramsey County) 的五位律师于 1900 年创立，是继明尼苏达大学法学院之后明州第二所法学院。当时人们如果想要进入律师行业，除了去法学院学习外，还可以遵循 19 世纪的法律职业传统——跟随一位有执照的律师学习，类似学徒工作，称为“读法”(reading law)。圣保罗法学院的创立有意取学院学习和“读法”传统之长，自创新路。圣保罗法学院邀请了在明州最高法院任职长达 18 年之久、刚刚于 1899 年退休的威廉·米切尔 (William Mitchell) 大法官担任院长。米切尔大法官欣然同意，但非常不幸的是他在法学院开学之前突然因中风去世。创院律师之一的贺兰姆·斯蒂文斯 (Hiram F. Stevens) 于是担任了第一任院长。圣保罗法学院的教授全部都是明州的法官和律师，其中包括在 1935 到 1941 年间担任教授的哈里·布莱克曼 (Harry Blackmun)。他后来在 1970 年开始担任美国联邦最高法院大法官，直到 1994 年。布莱克曼大法官是著名的《罗诉韦德案》(*Roe vs. Wade*) 判决书的作者。明尼苏达最高法院的大法官乔治·邦恩 (George

威廉· 米切尔大法官（1832-1900）

Bunn) 和奥斯卡·哈兰姆 (Oscar Hallam) 也都在任职期间兼任圣保罗法学院的院长。1938 年，圣保罗法学院被美国律师协会正式认证。

1912 年，明尼阿波利斯法学院 (Minneapolis College of Law) 和西北法学院 (Northwestern College of Law) 成立；1913 年，明尼苏达法学院 (Minnesota College of Law) 成立；1919 年，基督教青年会法学院 (YMCA College of Law) 成立。1940 年，明尼阿波利斯法学院和明尼苏达法学院合并成为明尼阿波利斯 - 明尼苏达法学院 (Minneapolis-Minnesota College of Law)。1956 年，明尼阿波利斯 - 明尼苏达法学院和圣保罗法学院正式合并，定名为威廉米切尔法学院，以纪念圣保罗法学院第一位“非正式”的院长威廉·米切尔大法官，美国 19 世纪最优秀的法官之一。

1974 年，威廉米切尔法学院开始出版《威廉米切尔法学评论》(*William Mitchell Law Review*) 期刊。法学评论类期刊是美国法学教育的核心元素之一，由各校优秀生担任编辑，发表本校和外校教授的学术文章。2000 年，威廉米切尔建院 100 周年之际，当时的州长杰西·文杜拉 (Jesse Ventura) 宣布 11 月的最后一周为明尼苏达“威廉米切尔百年周”(William Mitchell Centennial Week)。

威廉米切尔全校现共有 40 多名全职教授和副教授，共 1100名学生，来自 33 个州和 27 个国家。毕业的校友有 1 万 2 千多名，大多数供职于美国大中型律师事务所，跨国企业法务部门，政府机关等。杰出校友包括美国联邦最高法院第 15 任首席大法官华伦·伯格 (Warren Burger) 和明尼苏达州最高法院第一位女性大法官罗丝莉·瓦尔 (Rosalie Wahl) 等等。

明尼苏达州最高法院第一位女性大法官罗丝莉·瓦尔 (Rosalie Wahl)

威廉米切尔法学院的知识产权法、商法、法律援助、律师执业技巧和法律诊所等项目在美国名列前茅。本校的法律诊所项目一直以来都是全美法学院中的前 20 名。威廉米切尔法学院在建立当初是为工作的学生而设立。他们其中的多数需要努力全职工作以支持他们自己和家庭。他们受到的教育着重于为社会大众和本职业服务。很多早年的学生都是移民或移民的后代。

威廉米切尔法学院近年来开始国际化的尝试。2011 年，威廉米切尔法学院与中国政法大学比较法学研究院签订学术合作伙伴关系，致力于为中国学生提供学习美国法律的机会。对于威廉米切尔法学院这样的本土法学教育权威来说，立足本土传统精华，并以此为模式进行国际化拓展，验证了“本土就是国际，国际就是本土”(local is global, global is local)，为法律和教育工作者提供了有益的参考和启示。

双城最佳名单
Best of the Twin Cities®

《城市报》(*City Pages*) 是双城地区的主要报纸之一，是一份小资产阶级自由派知识份子主办的文化娱乐出版物，意识形态上左倾激进，广受双城地区文艺青年的热爱。该报从 1998 年起每年评选“双城最佳名单”(Best of the Twin Cities®)，其评选涵盖文艺、娱乐、餐饮、人物、场所、购物、体育等等，往往嬉笑怒骂，皆成文章，倒也自成一家之言。

近年一些人物和场所 (People and Places) 的获选名单如下：

安米·克洛巴切尔参议员
(Senator Amy Klobuchar)

阿尔·弗兰肯参议员
(Senator Al Franken)

2013“最佳政治家”：布兰顿·彼得森 (Branden Petersen)，明尼苏达州共和党籍参议员，因其支持同性婚姻合法化而获选。本年度此项读者投票推选者 (Readers' Choice) 是安米·克洛巴切尔 (Amy Klobuchar)，代表明尼苏达的民主农工党 (Democratic – Farmer – Labor) 籍联邦参议员。2012 年此项获选者是约翰·克里瑟 (John Kriesel)，明尼苏达州共和党籍众议员，因其反对将同性婚姻非法化而获选。2011

年此项获选者也是安米·克洛巴切尔，因其一系列有效的法案提议而获选，包括遏制网络销售诈骗行为、限制汽车尾气中甲醛含量、对龙卷风受灾地区提供联邦救助等等。2010 年此项获选者是阿尔·弗兰肯 (Al Franken)，也是代表明尼苏达的民主农工党籍联邦参议员。弗兰肯在 2009 年开始担任联邦参议员，在此之前是讽刺作家和喜剧演员。他以其立法提议限制联邦经费被无度拨发给不良合同商和强力支持医疗改革等政治成绩获选。

2013“最佳恶棍”(Best Villain)：约翰·尼斯德特大主教，圣保罗和明尼阿波利斯罗马天主教会大主教，以其坚决反对同性婚姻的保守立场而获选。本年度此项读者投票推选者是米谢尔·巴克曼 (Michele Bachmann)，代表明尼苏达的共和党籍联邦参议员，极右势力的代表人物之一。2012 年此项获选者是麦克尔·布罗克布 (Michael Brodkorb)，明尼苏达共和党前副主席，他因与明尼苏达参议院前多数派领袖、共和党参议员安米·寇奇 (Amy Koch) 的婚外恋丑闻而双双下台。2011 年此项获选者是史蒂夫·德拉克夫斯基 (Steve Drazkowski)，明尼苏达州共和党籍众议员，以其极端的反移民，反男女同工同酬等立场而获选。2010 年此项获选者也是米谢尔·巴克曼。

2013 年“最佳街道”(Best Street)：尼可莱特街 (Nicollet Avenue)，从明尼阿波利斯市中心延伸到位于 40 多街的金斯菲尔德 (Kingsfield) 街区，两侧遍及餐馆、咖啡馆、文化场所和小商店，深受小资喜爱。2012 年此项获选者是湖街 (Lake Street)，即第 30 街，文化最为多元，贫富最为不均的一条街道。湖街最西边是明尼阿波利斯市上城地区 (Uptown) 的卡洪湖 (Lake Calhoun) 和小岛湖 (Lake of the Isles)，白领雅皮云集，高档地产林立；到中城 (Midtown) 地带遍布经济实惠，服务移民的众多餐饮和车铺；湖街最东边直到密西西比河，然后更名马歇尔大道 (Marshall Avenue) 一直延伸到圣保罗市。2011 年此项获选者是尼可莱特街南部。2010 年此项获选者是圣保罗的萨米特大街 (Summit Avenue)，最具有传统文化气息的一条街道。萨米特大街林木掩映，花木清幽，名宅不可胜数，教堂、礼拜寺众多，氛围静谧雅致。

萨米特大街 (Summit Avenue)，20 世纪初明信片。

2013 年“最佳湖泊”(Best Lake)：庞德霍湖 (Powderhorn Lake)，因其周围居民几个世代的努力，将一个完全被污染的湖净化为休闲胜地而获选。2012 年获选者是雪松湖 (Cedar Lake)，明尼阿波利斯北部最优美洁净的湖。2011 年获选者是哈雷湖 (Lake Harriet)，位于明尼阿波利斯上城附近的小湖，玲珑精致，如珍珠般闪亮。2010 年获选者是卡洪湖，也是上城附近独具性格的小湖。漫步上城湖边小径，遥望市中心的高层建筑，城乡一体之感，不让旅游胜地瑞士。

哈雷湖 (Lake Harriet)

2013“最佳邻里”(Best Neighborhood)：朗费罗 (Longfellow)，位于明尼阿波利斯市南部，东接密西西比河。包括五个街区，其中包罗朗费罗街区和海华沙街区，名称都来自于大诗人亨利·沃兹华斯·朗费罗 (Henry Wadsworth Longfellow) 和他的名诗《海华沙之歌》(The Song of Hiawatha)。朗费罗邻里以其文化多元性而获选。本年度“读者选择”(Readers' Choice) 的“最佳邻里”是明尼阿波利斯东北区 (Northeast)，以其作为年轻艺术家和独立音乐人的乐土而获选。2012 年“最佳邻里”是阿玛塔吉 (Armtage)，位于明尼阿波利斯西南端，接近伊代纳 (Edina) 市。以其有品位的众多餐馆而获选。2011 年“最佳邻里”是林湖 (Lyn-Lake)，位于林戴尔 (Lyndale) 大道和湖街 (Lake Street) 的交接地带，靠近上城 (Uptown)，但避免了上城的虚荣和喧嚣。2010 年“最佳邻里”也是明尼阿波利斯东北区。

2013“请远方来客游览的最佳场所”(Best Place to Take Out-of-town Guests) 是哥瑟大剧院的无尽桥 (Endless Bridge at the Guthrie Theater)，这里是俯瞰密西西比河和圣安东尼瀑布 (St. Anthony Falls) 的绝佳地点。

哥瑟大剧院的无尽桥 (Endless Bridge at the Guthrie Theater)

从哥瑟大剧院的无尽桥上俯瞰圣安东尼瀑布

2012 年“请远方来客游览的最佳场所”是圣安东尼瀑布，位于明尼阿波利斯市中心附近，以其与双城地区主要文化亮点的亲和力而获选。

2013“最佳旅游胜景”(Best Tourist Attraction) 是核桃树丛市 (Walnut Grove)。这里是著名作家劳拉·英格斯·王尔德 (Laura Ingalls Wilder) 曾经两次居住过的地方。王尔德是《草原上的小房子》(Little House on the Prairie) 系列的作者。2012“最佳旅游胜景”是明尼苏达州集 (Minnesota State Fair)，为明州一年一度的盛大赶集地。起始于 1859 年，现在的明州州集是全美国最大的州集，占地 320 英亩，每次吸引游客 180 万人次。

2013“最佳免费名胜”(Best Place to Do Something for Free) 是明尼阿波利斯艺术馆 (Minneapolis Institute of Arts)。

2013“最佳历史景点”(Best Historic Site) 是分岩灯塔 (Split Rock Lighthouse)，明州最著名的地标之一。位于苏比列尔湖 (Lake Superior) 北岸 (North Shore) 一处高达 40 米的陡岩之上，建成于 1910 年。最初设想在此建造灯塔是因为 1905 年的一次巨大船难，一场暴风雨造成了

29 艘船只沉于苏比列尔湖。建成后的灯塔可以在 22 英里以外看到，5 英里以内清晰可见，为往来船只提供引导。

分岩灯塔 (Split Rock Lighthouse)

明尼苏达州湖泊众多，植被丰富。一入春夏，自然郁郁葱葱，湖水静如琉璃，美得令人窒息。人人热衷于户外活动，或远足，或野餐，或乘脚踏车穿越丛林，或沿湖慢跑，涤荡累积半年之久的冬季沉郁。州立公园散布于全州各处，双城地区虽称都市，但也不乏青林绿水的公园。2012 年“最佳公园”是科莫公园 (Como Park)；该年度读者选择的“最佳公园”是明尼哈哈公园 (Minnehaha Park)。2013“最佳公园”(Best Park) 是斯奈岭堡州立公园 (Fort Snelling State Park)。《城市报》(*City Pages*) 编辑的一段文字，描绘了斯奈岭堡公园的绝妙之处：

斯奈岭堡州立公园：如果你在此徜徉一整天，从早上到晚上，也不可能穷尽其美妙。在你能够踏遍此园主要景区之前，你就会耗尽体力。此处的茂林清水，其深厚的自然之美，它的历史意义，州立公园能提供的所有教育资源，均无他处可以匹敌。蹬上脚踏车，游览公园，或沿明尼哈哈瀑布和优雅的小径慢行，或过小桥，沿着一条小道环绕荒凉的派克岛探险，或行至明尼苏达州和密西西比河水系汇合之处，这是达科他印第安人的圣地。如果你起得够早，你会看到野鹿在公园里悠闲地游荡。从远足之中稍息，在斯奈岭湖岸野餐，享受阳光的浸礼。在宽阔的沙滩上小睡片刻，然后去湖中畅游。在清晨或傍晚，也可垂钓湖畔。而且，如果你还有兴致，你可以参观访客中心的文化展览，徒步陡峭的小道而达斯奈岭堡垒，在那里你可以温习明州的早期历史。斯奈岭堡几乎可以为每个人提供快乐：无论你正在寻找燃烧卡路里的运动，或者享受一个休闲的慵懒午后，或与孩子们度过一个难忘的家庭远足。

斯奈岭堡

明州的移民
Immigrants in Minnesota

明尼苏达州在美国中西部是一个异数。从外州人看来，明尼苏达是平凡无奇的中西部的一部分，地广人稀，农产丰富，最多加上夏秋之际湖光灿烂，冬春两季大雪苦寒。但明尼苏达作为中西部文化重镇，实际上兼具东西两岸思想开放和中西部中正平和的双重性格，在社会和政治理念上不求单一声音，意识形态偏左但仍兼顾保守型自由主义传统。由于居民教育水平普遍较高，乐于参与和讨论重大政治和文化问题，而且在讨论的时候兼容并包，避免极端立场。这种特质的由来应主要归功于明州丰厚的移民历史和文化。

早在公元前 6000 年左右，众多的土著美洲部落就开始在现在的明尼苏达地区生活繁衍。公元十九世纪初期到中期，本地区的主要居民是达科他 (Dakota) 和奥吉布韦 (Ojibwe) 部落，同时，法国和法裔加拿大的动物皮毛贩子开始出现在本地区。到 1850 年前后，第一批移民开始从欧洲迁居来此，主要是斯堪的纳维亚的 (Scandinavian) 挪威和瑞典人，另外还有爱尔兰人和为数不少的德意志人。美国喜剧演员路易斯·布莱克 (Lewis Black) 曾经调侃明尼苏达：最初来此的移民多为北欧国家移民，估计是对此地的天寒地冻深有宾至如归家的感觉。

1858 年 5 月 11 日，明尼苏达州成为美国第 32 个州。1861 年到 1865 年，美国爆发南北战争，明尼苏达州第一个响应林肯总统的号召，派出志愿军加入北方参战。内战期间，明州有 2 万 4 千人参加北军，大部分士兵是刚刚从挪威，瑞典，爱尔兰，德国等地来的新移民。

1865 年内战结束的时候，明州有 17 万 2 千居民。这时候，大批爱尔兰，英格兰，苏格兰人，波兰人，捷克人等移民来此。新移民绝大多数都是农民、小商贩和仆役。他们面对欧洲的农业危机和工业革命，无所适从，于是到新大陆来寻找机会。当时，爱尔兰大饥荒，莱茵河两岸失业严重，斯堪的纳维亚人受到国家教会的压迫。但在美国，密西西比河西岸大量土地等待被开发，明尼阿波利斯的工厂中、铁路，和明州东北部的矿山上也需要大量的工人。这时候来到明州的很多移民也包括东北部新英格兰地区的美国人。到 1880 年的时候，明州已经有 78 万人，其中 30% 是在美国之外出生的。

最早迁来明州的移民中，瑞典人大多安居在现双城地区北方，丹麦人在明州南部，德意志人在南部部分地区和明州中西部，捷克人在中部，波兰人喜欢现在的双城地区。先来者安定下来之后，往往吸引同乡同族前来加入，社区逐渐发展壮大。外来移民宗教信仰各不相同，路德派 (Lutheran)，浸礼会 (Baptist)，卫理公会 (Methodist)，罗马天主教 (Catholic) 等等各派的教堂分布在全州各地。先来的移民在公立学校里一直用本民族的母语教授课程，很多移民在家里还是说母语，所以各种族的文化保留得相对完整。例如挪威人似乎从一开始就拒绝同化，以挪威人或者挪威路德教派人自称，不认为自己是美国人 (American)。

十九世纪晚期，明尼苏达州的移民活动仍然有两个运动趋势：美国内部的西进——东部人迁移到中西部；国际范围的西进（欧洲人移民到美国）：包括瑞典人，挪威人，丹麦人，德意志人，爱尔兰人，捷克人，斯拉夫人，乌克兰人，比利时人，芬兰人。1890 年代，明尼苏达州有 40% 的居民出生在美国之外，而当时全国只有 15% 的人出生在美国之外。1896 年的时候，州选举手册是以九种不同的语言发行的：英语，德语，挪威语，瑞典语，芬兰语，法语，捷克语，意大利语和波兰语。1900 年前后，来明州的移民潮出现了一个高峰，明州人口达到 2 百万。1905 年，70% 的明州居民出生在美国外。1910 年的时候，明州已经有 55 万移民，占全州总人口的 29%，仅在明州东北部的“铁岭”(Iron Range) 地区就至少有 35 个不同的种族。

1910 年前后在明尼苏达，挪威移民母亲和她的两个孩子

明州早期的移民基本上是白人，基督教徒。很多来自当时正在现代化的国家，很多移民在母国已经体验过民主政治。 这些共同点让明州各民族的移民相处融洽，尽管有着语言和宗教派别的区别，但是文化的匹配造成顺利的同化，移民们没有抛弃传统，也不需要抛弃传统。德意志人带来了酿酒工艺，丹麦人带来了奶制品，挪威人保护环境和自然资源。整体来说，斯堪的纳维亚人重视教育，勤俭朴素，注重生活质量。这些都解释了明州总体上文化开放，政治开明，政府廉洁高效。各移民团体和文化在明州的平行发展，兼容并存，赋予了明州在美国中西部各州中少有的一种世界主义的气质。双城地区逐渐发展成为中西部除了芝加哥之外最重要的大都会和文化中心。

20 世纪以来，明州的移民文化更加繁荣地发展和整合，新的文化互动改变了原有族群的相对独立，多元文化被重新界定为分享共同经验同时也保留各自鲜明特色的有机体。 两次世界大战之间，来到明州的新移民不多，既有的文化、族群和宗教之间的分割逐渐弱化和融合。

冷战初期，逃离捷克斯洛伐克和匈牙利等东欧共产主义国家的一些政治难民安顿在明州。这段时间，以路德教派的社会服务机构和天主教会的慈善机构为代表的教会组织在新移民的安顿上发挥了良好作用。神职人员和志愿者从教授移民们在新大陆衣食住行方面的基本生存知识，逐渐发展到向移民们提供获取政府和慈善机构帮助的途径和手段。美国联邦政府一旦接受难民，下一步一般是教会介入主持安置。在个别情况下，各教派机构有时候也轻视弱势群体的原文化背景，把新移民看作新资源，互相争夺；在安顿移民的时候不太顾及移民原有的文化习俗和宗教传统，强力要求移民改变信仰。

20 世纪 70 年代以后，明州移民出现另一个高峰。这段时间的移民有两个较为突出的运动趋势：很多人从美国南部各州和墨西哥、哥伦比亚等南美国家北上到明州；另外从非洲，亚洲部分地区，和东欧西迁来大批政治难民，包括越南战争难民和躲避政治灾难的老挝苗族人 (Hmong)，逃离大饥荒的埃塞俄比亚人，逃离内战的索马里人和利比里亚人，朝鲜族人，和俄罗斯人等。新移民来到明州寻找工作，平等，和新机会。明州经济景气，在制造业和农业中有很多工作机会，明州的完善的社会服务体系也支持移民的安居需要，这里也有较多的从农村生活转型为城镇生活的机会，这些都是众多移民选择明州作为永久居住地的原因。

1980 年代末到 90 年代初，北上运动更加明显。越来越多的西班牙裔中美洲人或者墨西哥季节工人来到明州工作，最终定居安家。在此之前，这些季节工人来到明州在大豆田和甜菜地里面工作，冬天回到德克萨斯州、其他南部州或者回国，但现在他们决定留下来。非农田工作时间，他们在遍布于明州西部和南部的肉类加工厂等食品工业工作。2004 年，墨西哥在明州首府圣保罗市开设领事馆，标志着更多墨西哥人在明州的扎根立业。墨西哥移民在明州发挥着特殊的经济作用，解决了一些农村社区面临的工人老龄化和人口损失的现象。

随着越来越多移民的迁入，教会机构非正式协助的模式不再适用，政府部门作为领导，开始正式与宗教机构合作安顿移民。明州在安置难民方面全国领先。到 2005 年，明州安置的难民在全国各州中仅次于加利福尼亚州。明州现在拥有全美国最大的苗族人社区（5 万），索马里人社区（5 万）和缅甸克伦族人 (Karen People) 社区（5 千）。另外根据 1990 年的移民法，美国国会给予生活在印度和尼泊尔的藏人 1

万移民签证配额。1992-1993 年，160 位藏人被安置在明州，多年来，藏人人口逐渐发展到 3 千人，是美国的第二大藏族社区。

2009 年春节，明尼苏达苗族社区联欢庆祝

移民以及非法移民问题是当前美国社会最热点的话题之一。一方面，社会各界承认移民对社会经济和文化多元性的贡献，但同时也有很多人顾忌移民在医疗和教育方面的需要对社会产生的负担。移民问题包括很多不同的层次：合法移民（legal immigrant, 通过工作或者家庭关系以法律途径获得在美永久居留权和公民身份）；难民（refugee, 为避免政治迫害或者自然灾害而被动安置在美国）；非法移民（illegal immigrant, 未通过合法途径而在美国工作和居住）。合法移民，难民，和非法移民实际上都在为明州和美国的经济和文化做出贡献：移民开办的商业企业在明州雇佣了 2 万多名雇员，营业额高达 22 亿美元。另外仅亚裔和拉丁裔的移民每年就在明州消费 70 亿美元。以苗人为代表的少数族裔社区在明州的文化艺术生活中非常活跃，藏人也在保留传统宗教和医学方面表现突出，这些都促进了明州的多元文化交流和发展。

同化 (assimilation) 是一个在移民问题讨论中经常出现的词，暗指放弃原有主体认同，向另一个主导文化屈服。美国当然是一个文化大熔炉，但现有主导文化更像是一个过滤器，对每一个新团体的原文化偏见，宗教信仰和风俗习惯进行过滤，一些传统和生活习惯在过滤之后仍然留存下来并繁荣生长，有一些与现代和民主生活方式不相容的渐隐消失。当代社会的同化实际上是双向的：移民接受主流文化，主流文化也接受移民文化。移民经验是非常个人化的，每一位移民都能为主导文化提供新的经验和视角。这样看来，同化的过程并不是一个屈服的过程,而更是一个互动的过程。或正如美籍华裔学者余英时所说:“我走到哪里，哪里就是中国。”

华人在明尼苏达
Chinese in Minnesota

张纯如著作《华人在美国：一部叙事史》(Iris Chang, The Chinese in America: A Narrative History)

华裔美籍作家张纯如 (Iris Chang) 女士在 2003 年的著作《华人在美国：一部叙事史》（*The Chinese in America: A Narrative history*）中指出："每一代都应该面对新的事件而重新发现历史，由此将薪火传承与下一代学者去继续叙事。" 和其他种族的美国经验一样，华人在美国的历史也是一部充满了斗争和变化，胜利和失败，被歧视和被同化的故事。叙事是一个现在进行时，此时此地，我们有责任阅读、理解和参与到叙事活动之中。

中国 (China)、中国人 / 华人 (Chinese)、美籍华人 (Chinese American) 的案例，作为一个整体出现在美国历史的大部分时间里，美国人视中国和华人（中国人和在美华裔）为另类——疏远、异样、神秘、具有威胁性。但随着时间的进展，特别是最近几十年来日渐增多的贸易和交流，美国人的态度发生了根本的转变：现在对于美国人来说，中国就是一个外国，中国人就是一些外国人，而在美国的华裔就是美国多元民族群体中的一个组成部分，正如比尔·莫耶 (Bill Moyers) 主持的纪录片的片名"成为美国人：华人的经验"(*Becoming American: The Chinese Experience*)。这一过程已经历时一个半世纪。

1848 年，加州发现金矿，在这之后的三十多年时间里，三十多万华人先后来到美国，寻找他们的财富之梦。这些早年的移民大部分定居在加利福尼亚，也陆续散布在美国各地。早先移民对华人的歧视和恐惧也随之而来，华人作为一个群体开始成为被言语和行动攻击的对象，被谴责为应为部分美国人的经济困境负责，一如早年的爱尔兰和意大利移民的经历。早年华人移民大多目不识丁，言语、饮食、衣着、行为方式迥异于白人，非常自然地被界定为异类。随着加州排华气氛开始紧张，部分华人从加州向美国内陆和东部移居。到 1890 年，美国所有的州和领地上都已经有华人定居。

1870 年代初期，第一位华人移民来到明尼苏达，随后又有华人陆续到来。华人移民来到美国中西部的腹地明州定居，可能是因为这里相对宽容的环境。如 1876 年 5 月 31 日的《圣保罗先驱报》(*St. Paul Pioneer Press*)的一篇文章指出："圣保罗市的人们不能理解为什么加利福尼亚人对华人不满。在我们的城市里，华人的行为无可指摘。给东方人一个机会。"("The people of St. Paul can't see why the Californians should fret so much about the Chinese. In this city, they conduct themselves in the most unexceptionable manner. . . . Give the Orientals a chance.") 但 1877 年的另一份地方报纸也注意到："最近华人移民在这个国家数量的逐渐增多，引起了美国人对这个奇怪和古老的族群的兴趣。"("The large immigration of Chinese to this country, of late years, makes any information in regard to that strange and ancient people of peculiar interest to Americans at the present time.")

富勒著作《华人在明尼苏达》
(Sherri Gebert Fuller, Chinese in Minnesota)

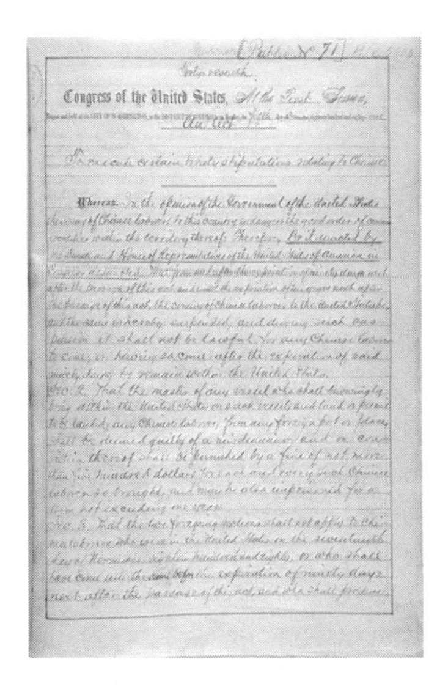
Congress of the United States,

Whereas.

《排华法案》(Chinese Exclusion Act)
原文第一页

1882 年，美国国会通过《排华法案》(Chinese Exclusion Act)，5 月 6 日经阿瑟总统 (Chester Alan Arthur) 签署后成为联邦法律。国会认为华工的到来使得美国境内一些地方的良好秩序受到威胁，所以规定从任何外国港口将华工带至美国的船只将被认定为犯罪，美国州法院和联邦法院不得给予华人美国公民身份。这是美国历史上第一次也是唯一一次以某一个特定民族为对象，在移民和归化上面予以歧视和限制。这一法案对于华人在美国的定居、地位、福利和社会生活环境产生了深远和持续的负面影响。

1880 年代末，明州全州居住有大约 100 多名华人，全部都是男性，大部分居住在明尼阿波利斯、圣保罗和杜鲁斯。这些华人基本都在洗衣店和餐馆工作。由于《排华法案》的影响，华人在美国的整体数量开始下降；但是华人继续离开生活环境持续恶化的西部各州，向其他州扩散。到 1905 年，明州全境共有 261 名华人：86 人居住在明尼阿波利斯，48 人居住在圣保罗，41 人居住在杜鲁斯，还有 86 人分布在全州其他地方。到 1910 年，明州共有 9 位华人女性，到 1920 年华人女性数量增加到 60 位。

19 世纪末，中国移民在美国海关排队进入美国

20 世纪初，华人杂货店开始在明州出现。餐饮、杂货、和洗衣生意在很长一段时间里都是华人的主要工作。到 1910 年的时候，明尼阿波利斯共有 10 家华人餐馆，圣保罗和杜鲁斯各有 6 家华人餐馆。

1902 年，明州出现了第一次针对华人的不友好行动。明尼阿波利斯厨师工会在华人餐馆外拉警戒线，阻拦顾客进入华人餐馆用餐。厨师工会散发印着如下字句的传单：“作为工会成员，我们请求你们远离中餐馆。他们用工不平，对白人劳力是一个威胁。”(“We, as union men, ask you to keep away from Chinese restaurant. They are unfair and a menace to white labor.”) 一位华人餐馆主聘请律师，起诉工会，最后在法庭获胜。

1919 年，圣保罗的华人与全国有色人种协进会 (NAACP) 合作撰写一项立法提案，要求禁止演出会引发种族仇恨的文艺节目。此提案是针对美国娱乐界日渐明显的对华人的定型化歧视性表现，但是与此同时，流行小说和电影中的傅满洲 (Dr. Fu Manchu) 开始被视作为华人定型形象。傅满洲是一个瘦高秃头，倒竖两条长眉，面目和内心阴险的华人知识份子，他其实是黄祸的拟人化形象。这一形象通过流行文化的传播逐渐深入人心，影响持久。

傅满洲 (Dr. Fu Manchu)

到 1920 年明州的华人人口增加到 500 左右，其中 300 居住在明尼阿波利斯 - 圣保罗双城地区。1920 年代末的时候明州华人人口将近 1000，其中包括近百名华人女性。

20 世纪初，随着华人开始在美国各地聚居，帮会也开始出现，有些属于同乡联谊性质，有些属于行业同仁互助，也有些属于黑社会势力。具有黑社会色彩的华人帮会大约在 1920 年前后出现在明州，有些帮会与西岸和东岸的全国性帮会具有密切联系。1924年和1925年间，双城地区至少有九起帮会枪击事件。1930年代，美国两大华人帮会安良工商会和协胜工会之间发生了一系列暴力冲突，影响了华人社群的生活。但随着抗日战争的爆发，华人社群和帮会的关注点转移到支持抗战和在经济上帮助中国国内的同胞，大型华人帮会大多转型成为华人工商业主和社区互助机构。

自晚清开始，中国人就开始出洋留学。其中最有名的先驱有容闳推动的“中国教育计划”、庚子赔款支持的赴美留学生（1909-1911）以及数以千计的赴日留学生。民国建立后，赴美留学持续升温。据《留美中国学生月报》统计，在1914年民国三年，全美共有中国留学生800多人，其中有三名中国学生在明尼苏达大学注册。1920年代和1930年代，每年平均有五名中国学生在明尼苏达大学学习。这其中有半数左右在农学院学习。到1953年，明尼苏达大学共授予366名中国学生学位。很多毕业生在毕业后留在美国工作和生活。这提高了在美华人的整体教育水平。

第二次世界大战期间，中国和美国并肩作战，在美国的华人以各种方式支持盟军和支援中国抗战。1943年中国国民政府正式加入盟国阵营。在这样新的环境下，《排华法案》就显得更加不合时宜。从1943年初起，来自明尼苏达的联邦众议员周以德 (Walter Judd) 就致力于推动美国国会废除《排华法案》。周以德众议员曾在中国多年行医传教，回美后从政，战争期间大声疾呼美国政府对中国提供物质和精神支持。在他的积极努力下，美国国会终于在1943年12月17日通过《马格诺森法案》(Magnuson Act)，正式废除了《排华法案》，开始允许华人归化成为美国公民。

废除《排华法案》的核心人物周以德 (Walter Judd) 众议员 (1898 - 1994)

《排华法案》废除，华人在美国接受高等教育并定居，中国国内的不断战乱和动乱，使得华人在美国的整体人口数量开始稳步上升。到1960年，明尼苏达已经有1300多位华人。华人社团组织也开始出现，有的组织属于宗教慈善性质，有的属于工商业主联谊性质，有的属于学界精英俱乐部性质。这些组织开始举办活动，帮助新移民学习英语，帮助华人子女学习中文，出版报纸等等。

1950 年明尼阿波利斯市威斯敏斯特长老会中文学校儿童日合影
Baby Day, Westminster Presbyterian Chinese Sunday School, Minneapolis (Photography by Wong Bing, archived at Minnesota Historical Society)

韩战爆发，随后冷战兴起，中国大陆与美国关系日趋紧张。华人在美国的处境也受到负面影响。1950 年代初“麦卡锡主义”(McCarthyism) 全盛时期，在美华人集体地在某种程度上被视为“非美”(Un-American) 集团。华人被怀疑是否忠于美国，是否在美国从事非法政治活动。明尼苏达大学的中国学生团体，尽管很多学生实际上来自台湾和香港，仍然受到联邦调查局 (FBI) 的严密监视。1950年代初，一些留学生返回了中国大陆，日后下场不忍卒书。

1965 年移民法 (Immigration and Naturalization Act of 1965) 是美国移民法的一个重要的里程碑，新移民法的合理、宽松、开放的移民政策使得大量具有专业技术背景的华人可以在美国定居，另外新制定的家庭团聚的优先原则使得美籍华人可以与亲人团聚。1970 年，明州的华人人口到达 2400，其中双城地区有 200 左右。这其中有将近一半是

伊莲诺·王 (Eleanor Wong Telemaque) 著作《在明尼苏达做华人是很疯狂的》

出生在美国的第二代华人。另外，具有专业技术背景的华人在明州华人总人口中高达 30%，远高于 18% 的全国平均水平，说明在明州居住的华人中有很大一部分属于高科技专业人士，教育水平较高。1970 年前后，在明州大学就学的华人学生多达 400 人，均是来自台湾，香港和其他东南业国家的华人。

1980 年，明州的华人人口达到 4000，另外，明州的越南移民中也有很多具有华人血统。80 年代中国大陆的专业技术移民也开始定居明州。越来越多的中国学生在明尼苏达大学等明州高校就读。

1990年,明州华人人口到达9000,同年全美国的华人人口将近160万。

2002 年的时候，明州有 1 万 8 千左右华人，包括美籍华人和非美籍华人。2003 年，明尼苏达大学有 1300 名中国大陆学生学者和近百名来自台湾、香港的华人学生，使明大成为全北美拥有最多数量华人学生学者的校园。2013 年，明尼苏达大学的中国学生数量暴涨至近 3000。

尽管华人人口在明州持续稳定上升，中国学生数量在明州大学中占据明显比例，但是相比其他亚裔移民，华人在明尼苏达的政治、经济和文化生活中还未占据一席之地。无论是 70-80 年代来自台湾、香港的高科技、工商业主移民及其第二代，还是 80-90 年代来自中国大陆的留学生定居移民，都在明州安居乐业，但一般来说，参与明州本地政治、文化生活的兴趣不太积极。一方面可能是明尼苏达本土斯堪的纳维亚裔和日耳曼裔居民的整体稳固的政治壁垒排他，“明尼苏达式友善”(Minnesota Nice) 具有虚伪的一面；另一方面也是华人历经苦难，对故国心灰意冷，偏安新大陆一隅，只求温饱，但求无祸的通常心态。

（本文部分资料数据出自明尼苏达历史协会和 Sherri Gebert Fuller 著作 *Chinese in Minnesota*，特此致谢。）

明尼苏达式友善
Minnesota Nice

“Minnesota Nice”（“明尼苏达式友善”）是美国家喻户晓的一个表达法，大部分非明尼苏达居民认为这基本上是一个中性词，而对大部分明州人 (Minnesotan) 来说，这个词肯定不是褒义，甚至接近于贬义，指外部世界对明州人的一种感受和评价，可能有一种明显的对明州人定型化和普遍化的倾向，基本上可以称为是某种成见 。

来到明尼苏达定居的外州或外国人对于“Minnesota Nice”的理解不会是一成不变的，而且往往是一个认识 - 否定 - 再认识的过程。举例来说，如果你对明州的初始印象是负面的，在一段时间之后，遇到好人好事，印象往往会转变成为正面，然后在生活一段时间后，还会出现负面看法；反之亦然：正，负，正。一如《五灯会元》中青原惟信禅师名言：“老僧三十年前未参禅时，见山是山，见水是水。乃至后来，亲见知识，有个入处。见山不是山，见水不是水。而今得个休歇处，依前见山只是山，见水只是水。”无论是参禅，还是生活，我们对外部人和事的观点很大程度上都受制于自身的思维定式和情感投寄。

不同的人对“Minnesota Nice”也会有不同的理解，这个词在不同语境之中也会有不同的涵义。

认为这个词是贬义的人会说：It is not nice to say somebody is Minnesota Nice.（如果你说某个人是明尼苏达式的友善，这很不礼貌。）因为这个词实际上指的是“貌似消极的攻击性”(passive aggressive)。

举例来说，某些明州人对某人某事很不满，但他们绝不表达出来。他们可能满脸堆笑，但背后说三道四。

对这个词的第二种负面理解是明州人过于谦逊礼貌，甚至到了无原则退让的程度，在某些完全有理由愤怒不满的情况下，某些明州人仍然忍让迁就，得过且过。

对这个词的第三种负面理解是部分明州人表面愉快，但实际内心呆板僵化，不知所谓，千部一腔，千人一面，面容慈善，头脑空空。很多明州人属于斯堪的纳维亚人后裔，性格外向但锋芒内敛，语速缓慢，时常面露机械微笑，有时候难免会给人一种思维缓慢、无法及时处理大量信息、不接受任何新生事物的印象。

有些人认为“Minnesota Nice”是完全贬义的，因为这个词与伪善是同义词。外来者不应该把明州人脸上的假笑当真，否则就会把人际交往关系建立在错误的假设上面。

对这个词的正面理解是明州人普遍友好，注重家庭和友谊，对陌生人和外来人敌意较少，考虑周到，乐于助人，讲文明，懂礼貌。在政治上偏向左倾自由进步主义 (progressive)，在文化上兼容并包，注重理解和互相尊重。举例来说，如果有新移民搬到某一个社区，周围的邻里街坊有可能会不请自来，自我介绍，并询问有什么能帮到新来者的地方。这种情况如果是在两岸人口密集的地区，有很大程度上可能是邻居试图了解新来者的背景，以判断新来者是否对社区构成任何可能的潜在威胁。但这种情况在明州基本上仅仅是一种友好的姿态，没有太多的潜台词。

正面理解观点的支持者曾经引用美国《心理学视点杂志》(*Perspectives on Psychological Science*) 的研究结果，该杂志对美国全国各地居民进行调查研究，比较各地居民的性格，结果表明：明州人在建立共识 (agreeableness) 和外向性格 (extroversion) 两方面得分较高，在自我意识 (conscientiousness) 方面得分一般，在神经质 (neurotic) 和开放思维 (open) 方面表现很低。

明州人认为“Minnesota Nice”可能来自于早期的斯堪的纳维亚移

民前辈。无论在欧洲，还是早期的美洲殖民地，斯堪的纳维亚人都生活在极北苦寒之地。艰苦的环境迫使人们必须互助合力抵御严寒，由此建立了互相理解和谦让的传统。明州伟大的政治家保罗·威尔斯通 (Paul Wellstone) 的名言“当我们一起努力改善的时候，我们大家就都会过得好些”(we all do better when we all do better) 可能是对这一传统的最佳诠释。

在这种传统中成长起来的人，彬彬有礼，厌恶对抗，处事平稳。这就解释了为什么明州双城地区会被评为在美国开车最安全和有礼貌的地区。明州的公路上几乎听不到喇叭声，就算是前面的车挡住了后面的车，后面的明州驾驶员也一般不会大鸣喇叭表示抗议，当然他可能已经咬牙切齿、怒不可遏了——而这恰恰正是“明尼苏达式友善”——“Minnesota Nice”的双重涵义！

明尼阿波利斯艺术馆
Minneapolis Institute of Arts

《中国兵马俑：始皇帝的遗产》(China's Terracotta Warriors: The First Emperor's Legacy) 展览曾在明尼阿波利斯艺术馆 (Minneapolis Institute of Arts, 简称 MIA) 展出，以“万人空巷”来形容其轰动效应恐不为过。伟大的中国考古发现在美国中部的传统美术馆中遇到众多异域知音，明州双城地区的艺术爱好者和普通民众也借此机会受到了中国历史和文化的熏陶。这不是一次千年穿越的偶然邂逅，而是历久弥新的东西跨文化交流的新章节。

早在 1883 年，明尼阿波利斯艺术馆的前身、由明州商业领袖和资深专业人士组成的明尼阿波利斯美术学会 (Minneapolis Society of Fine Arts) 就致力于把艺术带到社区生活中，开始收集珍贵艺术作品并举办艺术展览。该协会的宗旨是“促进对艺术的理解和爱忱”(To advance the knowledge and love of art)，第一任会长是明尼苏达大学第一任校长威廉·瓦茨·弗威尔 (William Watts Folwell) 。

明尼阿波利斯艺术馆正门

1915 年，由麦克姆·米德和怀特 (McKim, Mead and White) 建筑师事务所设计的明尼阿波利斯艺术馆新馆开馆，被誉为新古典主义建筑风格的代表作品。1974 年，日本建筑师丹下健三 (Kenzo Tange) 为 MIA 设计了当代风格的副馆; 2006 年，建筑师麦克尔·格拉维斯 (Michael Graves) 设计了新侧楼，两个新建筑都与主馆无缝连接、浑然一体。MIA 从 1989 年起就免收门票，是美国少见的免费艺术馆之一。MIA 得到很多艺术惠主的资助，所以在作品保藏和技术更新方面持续领先，对社区和学生的艺术教育项目也深入而广泛。每年 MIA 的参观人数都在五十万人次以上。

经过一个多世纪的经营，MIA 已经是美国馆藏数量和质量都名列前茅的大型公立美术馆。馆藏艺术作品和文物多达八万余件，跨越上下五千年，从石器、青铜器、陶器，到雕塑、绘画、版画、摄影、当代非架上艺术，以及纺织品、装饰品、家具等等，种类包罗万象，堪称百科全书式的博物馆。今天 MIA 主要的策展范围包括非洲和美洲艺术、当代艺术、装饰艺术、织品和雕塑艺术、亚洲艺术、油画、摄影和新媒体、版画和绘画，几乎涵盖主流艺术史的所有重要领域。

同美国很多主要艺术馆一样，MIA 收藏了大量西方经典艺术作品和文物，但 MIA 对亚洲文化和艺术具有特别的鉴赏能力和兴趣，丰富的亚洲艺术收藏尤为特出。1918 年，MIA 就收藏了其第一件中国艺术品——黑色大理石的观音菩萨造像。从 1927 年到 1955 年，一对收藏家捐献了大量的 17 和 18 世纪的中国装饰艺术作品。1950 年，明州巨商菲尔茨伯里 (Pillsbury) 家族的一位后人遗赠给 MIA 其全部的中国艺术品收藏，包括大量的古代青铜器和玉器。1973 年，另一位菲尔茨伯里家族成员遗赠给 MIA 大批日本浮世绘和木刻作品。明州传统的百货商店戴顿百货 (Dayton’s Department Store) 的主人布鲁斯·戴顿 (Bruce Dayton) 和夫人露丝·戴顿 (Ruth Dayton) 从 1990 年开始向 MIA 捐赠价值连城的中国文物和艺术作品，至今已达八百多件，包括善本图书、书画、漆器、玉器、家具、西藏唐卡等，其中的宋代木刻观音造像和东汉青铜天马都是国宝级珍品。戴顿夫妻的贡献使得 MIA 的中国艺术收藏的规模在美国罕有其匹。

艺术馆正门有两尊石狮护卫两侧，主馆墙外还重建了一个中国山石园，其中矗立若干假山叠石，错落有致。馆内 22 个亚洲艺术厅展示来自中国、日本、喜玛拉雅地区、印度、东南亚、亚洲穆斯林国家和地区的文物和艺术品：佛教造像、书画、雕塑、家具、玉器、青铜器、纺织品、陶器、瓷器、金银器、版画、家具，琳琅满目，不一而足。在其间流连漫步，时空凝滞，犹如故国重归。尤其面对原物原景复原的明朝《吴家厅堂》(Wu Family Reception Hall) 和清代的文人书房 (The Studio of Gratifying Discourse)，真可令人产生“今日何日，今夕何夕”之惑。

MIA 馆藏清代文人书房

MIA 馆藏丰富，稀世珍品不可胜数。其中：古印度三世纪的片岩佛陀立雕像，中国宋代的木刻镀金观音菩萨坐像，日本十三世纪镰仓时期的木刻彩漆镀金地藏菩萨立像等雕塑；哥雅的《与阿列塔医生在一起的自画像》(Self-Portrait with Dr. Arrieta, by Francisco Jose de Goya)、凡高的《橄榄树》(Olive Tree, by Vincent van Gogh)、高更的《露兜树下》(I Raro Te Oviri, by Paul Gauguin)、马蒂斯的《携带捕蝴蝶兜的男孩》(Boy with Butterfly Net, by Henri Matisse)、毕加索的《海边的女人》(Woman by the Sea, by Pablo Picasso)、雷诺阿的《威尼斯圣马可广场》(The Piazza San Marco, Venice, by Pierre Auguste Renoir)、莫奈的《日本桥》(The Japanese Bridge, by Claude Monet)、爱德华·蒙克的《悲剧》(Tragedy, by Edvard Munch)、保罗·克利的《嚎叫的狗》(Howling Dog, by Paul Klee)、康定斯基的《即兴研究第5号》(Study for Improvisation V, by Wassily Kandinsky)，莫迪利亚尼的《小佣女》(Little Servant Girl, by Amedeo Modigliani)等等油画名作；察克·克罗斯的《法兰克》(Frank, by Chuck Close)、爱德华·韦斯顿的《青椒第30号》(Pepper No. 30, by Edward Weston)、布莱松的《巴黎圣拉查火车站后》(Behind The Gare Saint-Lazare, Paris, by Henri Catier-Bresson)等摄影作品，件件都在艺术史上拥有一席之地。

每次来访MIA，笔者都必定在以下馆藏作品前驻足良久：

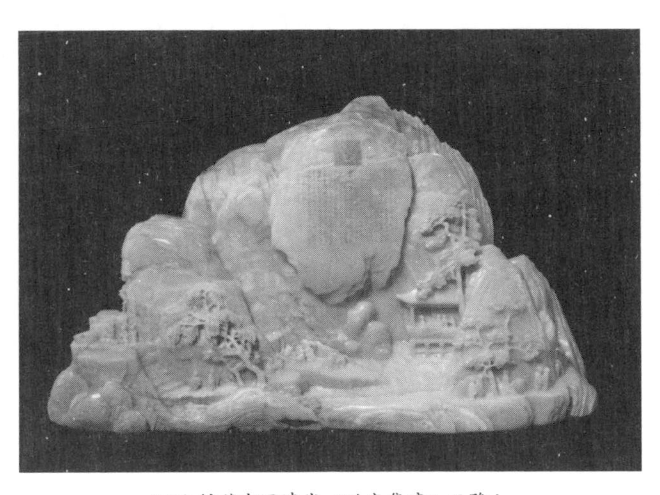

MIA馆藏中国清代《兰亭集序》玉雕山

中国清代《兰亭集序》玉雕山(Jade Mountain Illustrating the Gathering of Poets at the Lan T'ing Pavilion)，应当是中国大陆之外最大的古代玉雕，由乾隆皇帝御旨订制，完成于乾隆四十九年(1784)前后。玉雕正面山上刻有王羲之《兰亭集序》，背面刻有乾隆御诗。玉山两侧山脚浮雕亭、林、水、石，及其间一众人物：“崇山峻岭，茂林修竹”；“清流激湍，映带左右”；“群贤毕至，少长咸集。”微观一石世界，掌上乾坤，令人油然复古，遥想士大夫先贤风流倜傥，在青青山水之间吟诗作画，自有知音欣赏，击节唱和。可惜千年之后，青山俱毁，绿水干涸，斯文丧尽，名士无踪，古代的风雅只能存留在写意和法帖之中，或凝固成这一方玉石，好像人类学的一个标本，静静地躲避在万里之外的博物馆的一个角落，供后生耐心细察，遥祭故国，不胜唏嘘。

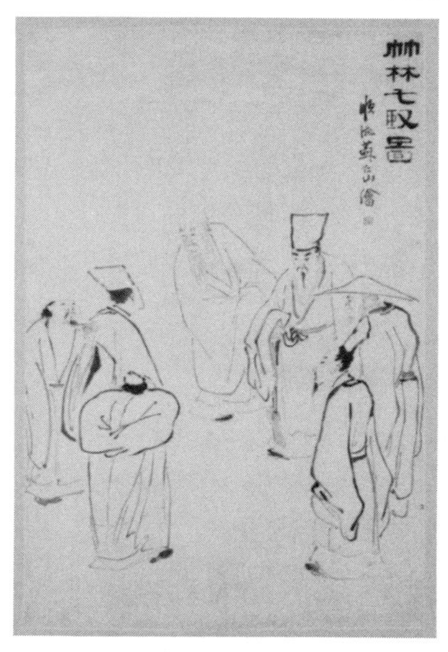

MIA 馆藏清代画家苏仁山《竹林七贤图》

清代画家苏仁山（岭南道人）的《竹林七贤图》(The Seven Sages of the Bamboo Grove)。苏仁山（1814—1850），字静甫、仁山，号长春，别号岭南道人，以人物画名世。此画约作于清道光二十年（1840 年），与《香山九老图》为姊妹篇。苏仁山擅勾勒法，画人物不假渲染，轻重有致，笔意超然脱俗。画家惜墨如金，但运笔轻重有深意，潇洒自如，笔下人物或古拙质朴，或清雅独立。此画描绘魏晋时代“非汤武而薄周孔，越名教而任自然”、“弃经典而尚老庄，蔑礼法而崇放达”的“竹林七贤”：嵇康、阮籍、山涛、向秀、刘伶、王戎、阮咸。苏仁山寥寥数笔，七贤恃才放旷，桀骜不驯的风采跃然纸上。一众先生集于竹林之下，肆意酣畅，指桑骂槐，月旦人物，玩世不恭，笑傲江湖宵小。可惜这样佯狂避世、独善其身的自我流放，自 1957 年反右运动之后，甚至也不再可能了。“竹林七贤”如在今世，恐也要回归组织，“莫言”少语，明哲保身。

藏传佛教上密院高僧们在 1991 年制作的《大威德金刚曼荼罗坛城沙画》(Yamantaka Mandala) 无疑是 MIA 馆中最为绚烂夺目的作品。坛城沙画是佛教密宗之中极为精致的仪轨和艺术：大型法事期间，经过严格训练的僧人们以数百万计的沙粒细细堆砌、勾勒出庄严的佛国世界,整个过程可能持续数日乃至数周。坦城以七彩沙粒按严格的比例、结构、内容等堆砌而成,在台座上勾勒好轮廓后,由中心开始,方圆相间,逐渐向外围扩散绘制。此坦城中心的金刚杵代表大威德金刚,格鲁派密宗所修本尊之一,因其能降服恶魔,故称大威,又有护善之功,故又称大德。梵名"阎魔德迦",藏语为"多吉久谢",意为"怖畏金刚"。

MIA 馆藏《大威德金刚曼荼罗坦城沙画》

坛城里还绘有大威德金刚法座、吉祥八宝、五彩火纹、人物、地狱等图纹。在佛教寺庙中,完成的沙画只会短暂地供信众瞻仰,然后在法事结束之时,被高僧扫除,从外层的沙驱散向内层,顷刻间华美壮丽的坦城回复一堆细沙。细沙一部分分发给信众,一部分装在法瓶之中,撒入井中或者河流。"此举昭示佛之事业始於一无所有,而能建立具足庄严之坛城,进而展开化渡之力用,终究还归一无所得。如此完全符合宇宙间不断经历生、住、异、灭之迁演。沙坛城以手轻拂即归空,最能呼应'无常、幻化、不执着、空性'的佛法本质。"

有幸的是,在 MIA 的请求下,此坦城被高僧们特许,作为艺术品保留。明州 3M 公司的技术人员协助 MIA 以特殊技术和高科技材料将坦城沙画固化,成为 MIA 的永久收藏,供后来者顶礼膜拜,欢喜赞叹。

2012 年 6 月至 9 月，MIA 举办了《伦勃朗在美国》(Rembrandt in America) 展览，网罗了现在美国各博物馆和画廊收藏的伦勃朗精品 50 余件，参展名作来自华盛顿国家美术馆 (National Gallery of Art) 和纽约大都会艺术馆 (The Metropolitan Museum of Art) 等等，史无前例。在所有展出作品中，MIA 镇馆之宝之一，伦勃朗 (Rembrandt van Rijn) 作于 1666 年的《卢克丽霞》(Lucretia) 最为震撼人心，是大师晚年以其登峰造极的艺术技巧表达内心无尽悲痛和绝望的作品。

MIA 馆藏伦勃朗作品《卢克丽霞》

这幅画的人物是卢克丽霞，一位古罗马贵族的妻子，以美德和忠诚闻名。她被当政的暴君之子所强暴。次日，她向她的丈夫和父亲说出事实，然后当着他们的面自尽，选择了以死来保存荣誉。 此画描绘了卢克丽霞把刀刺进她的心脏之后的时刻。MIA 策展人、伦勃朗专家汤姆·拉瑟尔 (Tom Rassieur) 指出：这幅作品以古喻今，实际上是伦勃朗对社会歧视的血泪控诉。欲理解这幅作品，必须需要了解伦勃朗的感情生活。他妻子在生孩子后不久去世，他和女仆亨德丽克·斯托弗 (Hendrickje Stoffels) 生活在一起。由于伦勃朗亡妻遗嘱不许他再婚，所以伦勃朗和斯托弗没有结婚。但是斯托弗为他生了一个女儿，他们因此被教会谴责为“罪恶的生活”。她被驱逐出教会 (excommunicated)，失去了社会地位。她和伦勃朗都不再被上流社会接受，伦勃朗也由此失去了很多艺术赞助，这也是导致他财务破产的原因之一。他们只好搬离主流社区，斯托弗于 1663 年去世。伦勃朗谴责主流社会，认为其成员对斯托弗之死负有不可推卸的责任。伦勃朗于 1666 年创作了此画，对失去之爱悲歌一曲。他之后每况愈下，贫病交加，在 1669 年凄然去世。

画中最摄人心魄的是卢克丽霞凄婉决绝的双眼，她意识到自己的生命正在流逝而去。这幅作品是伦勃朗艺术登峰造极之作，完全摆脱了任何阶级意识形态和定制要求的桎梏，心神和笔端合一，赋予人物以真实的情感和生命。这幅画已经达到甚至超越了伦勃朗的精神导师提香 (Titian)。从此画可以真切感受到伦勃朗的极度悲戚，一如苏东坡忆亡妻的痛泣之作《江城子》：“十年生死两茫茫，不思量，自难忘。千里孤坟，无处话凄凉。纵使相逢应不识，尘满面，鬓如霜。夜来幽梦忽还乡，小轩窗，正梳妆。相顾无言，惟有泪千行。料得年年肠断处，明月夜，短松冈。”那种感受幽明永诀、两界隔断的痛苦固然相似，但伦勃朗之画显然更加撕心裂肺般地惨烈。

如果说《卢克丽霞》让人们悲悼生命的脆弱和消逝，那么马克·夏加尔 (Marc Chagall) 作于 1911 年的油画作品《诗人和鸟》(The Poet with the Birds) 就是让人们欢歌生命旋律的多彩，让我们的心灵微笑。夏加尔童稚不泯，把真实与梦幻融合在色彩的构成中。他的作品从来都依靠内在诗意力量，而不是逻辑规则，来把完全个人经验的意象与形式上的象征完美地结合到一起。

MIA 馆藏马克·夏加尔作品《诗人和鸟》

此画作于夏加尔在巴黎的第一次逗留期间。 这幅作品表现了他对巴黎新环境的感知和反应：他充分享受了巴黎所提供的智识上的自由，同时又以自身的天才直接了当地描绘自然田园的美妙，丝毫没有受到这一时期主流绘画立体主义元素的束缚。这标志着夏加尔梦幻形态和精湛的技巧迅速成熟，并确立为他日后创作的风格。其作品已经开始具有错综复杂和交相辉映的美学特性：错位的、蒙太奇般的形象，愉快的、音乐般的色彩，还有通灵的、宗教性的平和。夏加尔认为绘画首先是在平面上布设各种表现：野兽、鸟、人，讲究画面结构的视觉效果，其他考虑都是次要的。他反对“幻想”、“象征”这类说法。他说:“我们的内心世界就是真实,可能还比外面的世界更加真实。”“把一切不合逻辑的事称为幻想、神话和怪诞，实际是承认自己不理解自然。”夏加尔强调自己跟毕加索不一样，他说：“毕加索用肚皮作画，我用心画画。”

MIA 馆藏艾未未作品
《大理石椅子》

艾未未 (Ai Weiwei) 作于 2008 年的《大理石椅子》(Marble Chair) 是馆藏新作。艾未未无疑是当世最富有创造力和人文关怀的艺术家，其作品或庄或谐，有情有理，往往匪夷莫思，巧夺天工。这把椅子的原型是艾家保存的一把传统木椅，艾未未父亲诗人艾青和全家在毛的文革时期被流放在外，全家仅能保有几件最基本的家居用品，其余均被以“破四旧”为名掠夺或摧毁。40 年后，艾未未工作室以单块大理石雕成一把椅子，作为对中国传统文化和生活方式被毛摧残的见证和被当代“中国”变异扭曲的证明。艾未未艺术的伟大之处在于他对历史和文化的高度认知，对中西文化对话和互相误读的密切观察，对任何固定思维模式、任何平庸乡愿的反讽和戏谑，和对视觉美学元素的极度敏感。

(Special thanks to Dr. Kaywin Feldman, Dr. Liu Yang, Dr. Tom Rassieur, Emmalynn Bauer, Anne-Marie Wagener, Mary Mortenson, and Tammy Pleshek at the MIA, for their kind assistance in providing background information and high resolution images of the artworks.)

沃克艺术中心
Walker Art Center

如大多数博物馆和画廊一样，沃克艺术中心 (Walker Art Center) 也在每周一闭馆。但沃克艺术中心把“周一闭馆”(Closed Mondays) 作为它的标语之一，给人一种语词背后有深意的错觉。这与好彩香烟 (Lucky Strike) 的著名口号“这是烤烟”(It's Toasted) 有异曲同工之妙，都是市场营销的不俗招数。

沃克艺术中心
"Walker Art" by T.loewen - Own work. Licensed under Creative Commons Attribution 3.0 via Wikimedia Commons。

沃克艺术中心的历史可以追溯到 1879 年，木材商人托马斯·巴洛·沃克 (Thomas Barlow Walker) 把他的私人收藏画作向公共开放。1927 年，中心正式成立，为美国中西部第一家公共艺术画廊。从 1940 年代起，沃克的大笔捐款支持中心购买了一批当时著名艺术家的作品，包括佛兰兹·马克 (Franz Marc) 和埃德加·霍普 (Edward Hopper) 等。1960 年代开始，沃克中心开始举办一些具有影响力的现当代艺术展览。接下来的几十年来，沃克逐渐发展成为以当代艺术收藏和展览为核心的艺术中心。在沃克转型的过程中，曾有过一件趣事：明尼阿波利斯艺术馆(MIA) 镇馆之宝之一的中国清代《兰亭集序》玉雕山原被沃克收藏，因沃克决定转型为当代馆，把玉雕山低价变卖给了明尼阿波利斯艺术馆。多年之后，2014 年沃克举办活动，需要从明尼阿波利斯艺术馆暂借玉雕山展览，在租借合同上需要写明艺术品的保险价值。由于玉雕山是中国大陆地区之外最大的整玉雕塑，价值连城。明尼阿波利斯艺术馆的亚洲馆长柳杨博士经过研究，从低沽下 8 千万美元的保险价值。沃克负责人得知后，哑口无言，估计心下痛悔。

沃克艺术中心占地 17 英亩，包括主建筑，副楼和雕塑花园。主建筑完成于 1971 年，由建筑大师爱德华·巴尼斯 (Edward Larrabee Barnes) 设计，主楼在 1988 年扩修；副楼“绿色空间”由瑞士建筑师事务所赫尔佐格和德梅隆 (Herzog & de Meuron) ——即与中国艺术家艾未未合作设计“鸟巢”的建筑所——在 2005 年设计。雕塑公园 (Minneapolis Sculpture Garden) 现在已经被认为是双城地区的地标之一。1988 年甫一开即被纽约时报赞为：“美国在室外展示雕塑艺术的最佳空间。”雕塑公园展示四十余件雕塑作品，其中最引人注目的是克莱斯·奥登堡 (Claes Oldenburg) 和库瑟·冯·布鲁根 (Coosje Van Bruggen) 的“勺桥和樱桃”(Spoonbridge and Cherry)，堪称双城的象征之一。

克莱斯·奥登堡 (Claes Oldenburg) 和库瑟·冯·布鲁根 (Coosje Van Bruggen) 雕塑作“勺桥和樱桃”(Spoonbridge and Cherry)。

沃克中心以当代艺术著称，但走进沃克，往往乘兴而来，败兴而归。这当然与很大一部分当代艺术属于“皇帝的新衣”有关。但另一方面也是沃克个性使然：重市场，重推销，而轻内容，轻内涵。当代作品扑朔迷离，近则不逊。而艺术需要时间的沉淀，没有百年左右的距离观察，自然鱼龙混杂。观察鉴赏当代艺术需要一种“后现代主义”的解构心态：艺术馆中的“艺术”展品和街头小摊艺人的手工实在难分高下。所以你可以说杰夫·孔斯 (Jeff Koons) 不是艺术家，或者说他重新定义了“艺术家”，或者说“当代艺术家”是一个如同会计、工程师一样的职业，而不再是一个文化身份。

沃克在 2014 年推出“艺术扩张”展 (Art Expanded, 1958-1978)，集中展示六十和七十年代的“扩张艺术”(expanded arts)。当时艺术家们结成阵营，挑战、批评、颠覆传统媒体和学科。从约翰·凯奇 (John Cage) 开始，偶发艺术 (Happenings)，激浪派 (Fluxus)，概念主义 (Conceptualism) 一一登场，涵盖行为作品，录像作品，电视，前卫电影，实验音乐等等，乍一看群魔乱舞，魑魅魍魉，细究起来还是颇有深意：后工业时代的艺术已经不再是自给自足的存在，而被物化，信息化，和经验化。

概念艺术家索尔·列维特 (Sol Lewitt) 有一段关于“概念艺术”的自陈：“观念或概念是概念艺术中最重要的部分。当艺术家以概念为形式创作，这意味着所有的策划和决定都在动手之前完成了，制作作品的过程只不过是纯功能性的敷衍了事。观念成为制作艺术作品的机器。这类艺术不是理论性的，也不是理论的图解，而是直观的，它直接涉及各类的头脑过程，漫无目的。一般来说，概念艺术完全独立于艺术家的个人艺术技巧。”(In conceptual art the idea or concept is the most important aspect of the work. When an artist uses a conceptual form of art, it means that all of the planning and decision are made beforehand and the execution is a perfunctory affair. The idea becomes a machine that makes the art. This kind of art is not theoretical or illustrative of theories;

it is intuitive, it is involved with all types of mental processes and it is purposeless. It is usually free from the dependence on the skill of the artist as a craftsman.) 列维特和大多数当代艺术家一样，出口成章，但作品乏善可陈。他的这段自白道出了概念艺术的精髓，但无法回答两个基本的驳论：你的作品核心是观念，但你的观念可能无聊透顶，不值一提。而且如果你的作品都是功能性的敷衍了事，为什么我们还需要看这件“作品”？

怀斯曼艺术馆
Weisman Art Museum

怀斯曼艺术馆建筑外观
(Weisman Exterior, photography by Rik Sferra. Courtesy of the Weisman Art Museum, University of Minnesota, Minneapolis.)

艺术应该是我们人类经验的重要部分，甚至应该占有一个核心位置。在高等教育的语境中，学生们学习日后谋生的知识和技巧，但更重要的是试图理解自己在世界中的位置，寻找身份认同。艺术可以在学生成长的过程中提供丰富的精神资源，开拓学生的眼界，以不同的角度来观看世界和自身。

WAM 的全称是弗雷德里克·R. 怀斯曼艺术馆 (Frederick R. Weisman Art Museum)，是明尼苏达大学校立艺术馆。WAM 始建于 1934 年，时任明大校长的罗特斯·考夫曼 (Lotus Coffman) 富有远见地决定在明大内建立一个艺术馆。不同于欧洲，当时的美国中产阶级家庭中一般都没有艺术收藏，中产阶级子弟在进入明大这样的公立大学之前基本上对艺术没有太多的感性认识。考夫曼校长认为在教授学生文理史哲、科技农医的同时，应该让学生接触到艺术。他提出：“在未来，我们需要新的价值来支持个人的性格养成。艺术是这种价值的一个重要源泉，我希望我们的大学在提供这种价值的时候扮演一个重要角色。”(“There is a need for new values to sustain the morale of individuals in the days ahead. The arts are a source for such values and I want this university to play a leading part in instilling them.”) 考夫曼校长的这种颇为民主的新教育理念，为后代教育家所推崇。

怀斯曼艺术馆最初设立在诺瑟普大讲堂 (Northrop Auditorium)，收藏和展示具有历史、文化和社会价值的当代艺术作品。同时作为大学的艺术教育基地之一，举办学术会议、艺术论坛、作品特展等，特别重视对学生的人文培养和文化熏陶。WAM 的宗旨是“明尼苏达大学怀斯曼艺术馆创造一种艺术体验，以此来激发探索、批评性思考和转变，并联接大学和社区。”(“The Weisman Art Museum at the University of Minnesota creates art experiences that spark discovery, critical thinking, and transformation, linking the University and the community.”)

有两个人在怀斯曼艺术馆的历史上占有极其重要的地位：建筑大师弗兰克· O. 格瑞 (Frank O. Gehry) 和弗雷德里克· R. 怀斯曼。WAM 馆名来自于明州本地出生的慈善家和艺术收藏家怀斯曼，他为艺术馆捐献了三百万美元，使得艺术馆得以购买当代艺术作品和开展丰富多元的艺术活动。建筑大师格瑞为 WAM 设计的新馆于 1993 年落成，桀骜不驯的不锈钢建筑外表傲视密西西比河，是明尼苏达大学最显著的地标。新馆建筑赋予 WAM 一种清晰的艺术身份认同，同时也是人文博雅教育的展示。不同于传统美术馆的准宗教式的庙堂风格，WAM 的建筑结合了艺术教育中的自由民主观念：观者在步入艺术馆的第一时间就可以看到墙上展示的艺术作品，甚至在馆外都可以透过窗户清晰地看到艺术作品。1991 年，格瑞以 WAM 建筑获得先进建筑设计奖 (Progressive Architecture Design Award)。2011 年，格瑞又为 WAM 设计了新馆扩建工程，使艺术馆的空间达到五个画廊，展示陶器、美国现代派艺术作品、摄影、版画和绘画等等。今天的 WAM 馆藏艺术作品已经多达两万余件。

美国艺术家安迪·沃霍尔为怀斯曼所作肖像画 (Andy Warhol, Portrait of Frederick R. Weisman, 1984, lithograph on paper, 47 3/8 x 28 5/8 in. Collection of the Weisman Art Museum, University of Minnesota, Minneapolis. Gift of Billy and Jody Weisman. 1993.6.)

现在某些国家官方对现代艺术怀有敌视态度，意识形态宣传官员们往往认为抽象艺术具有颠覆性，可能是因为对于他们来说，艺术家的自由选择本身就是一个具有颠覆性的概念。在宣传官员看来，艺术应该为政权或者意识形态服务，但是这种高度功利化的态度属于前现代。这些审查员们需要补上现代艺术从晚期印象派 (Post-Impressionism)，到现代派 (Modernism)，抽象表现主义 (Abstract-Impressionism)，乃至现在的后现代主义 (Post-Modernism) 整整一个世纪以上的世界艺术史，然后他们才能理解什么叫做当代艺术，什么叫做抽象，什么叫做自由表达。印地安人陶器在怀斯曼艺术馆 WAM 的永久收藏中占有显著位置。这些陶器来自于“民博人”(Mimbres)。“民博人”是古老的美国原住民“莫戈利翁”(Mogollon) 文化的分支，属于美国西南部和北墨西哥地区四大考古文化发现之一。“民博人”生活在现在新墨西哥西北部的沙漠山谷和周围山脉的河流两岸。大概从公元 850 年到公元 1150 年，他们制作了大量精美绝伦的陶器，其中包括许多黑白陶碗，上面绘有他们对周围世界和生活的感知和理解。不但狩猎、舞蹈、游水等活动都有体现，动物、神话、抽象的山河、浮云和植物也被以真实或想象的手法描绘出来。每件陶器都使得我们能管中窥豹，一瞥古代文明世界的窗口。民博陶器也包括一些非再现性的图样模式，类似几何图形，但有可能是对自然现象，特别是与农民日常生活息息相关的风云雷电的抽象化艺术表达。

“舞者陶碗”是 WAM 馆藏民博陶器之一，属于典型的粗体黑白风格 (Boldface Black-on-White)，即一型民博风格 (Mimbres Style I)。这种风格主要表现在白底之上粗线条的几何图案和高度抽象化的人物和动物形体。虽然“舞者陶碗”的制作年代相应中国历史年代是在宋朝年间，但是从人物欢快忘情的形体语言上我们似乎可以看到《诗经·陈风·宛丘》中描绘的“坎其击鼓，宛丘之下，无冬无夏，值其鹭羽”的场景：古代的男女们在旷野间歌唱游戏，其乐无穷。陶器上的人物左膝弯曲，右腿伸张，双臂摇曳，她/他全然陶醉在舞乐之中。寥寥几笔，其富有感染力的活力和能量跃然而出。

WAM 馆藏民博陶器“舞者陶碗” (Artist unknown, Native American Mimbres bowl, circa 1000-1150, earthenware with slip and pigments. Collection of the Weisman Art Museum, University of Minnesota, Transfer from the Department of Anthropology. 1992.22.673.)

1150 年前后，民博人突然离开了他们的居住地，不知所终。考古学家无法从疾病、饥荒或者战争的角度来解释这样的大规模迁徙的原因。他们只是留下了这些美轮美奂的民博陶器，供我们遐想千年前的文明。

美国现代主义 (American Modernism) 绘画是 WAM 的馆藏重点之一。现代主义强调创新，以对抗古典、传统和既有表现模式。所以个人风格，独特的艺术手法，和高度自我化的主题都得到了发展空间。现代派艺术家探索个人的内心灵魂，因故其作品均展现完全各异的视觉语言。

格鲁吉亚·奥基夫（Georgia O'Keeffe，1997-1986）是二十世纪最著名的美国女性艺术家之一。其特立独行的出世风格和鲜明的作品印记赋予她的作品和人生一种传奇色彩。她长年沉浸在荒原的自然地理之中，静观日月星辰，捕捉自然的色彩和来自天空的光线。《东方罂粟花》作于 1927 年，是奥基夫最多产的一段创作时期。她在以往擅长的素描和水彩的抽象探索之上结合了高度具象的感受,风格渐趋缓和、平衡和节制。她持续不断从大自然获取母题与灵感，除了天空、地理和风景之外，花卉也是一个反复出现的主题。她的手法是高度去古典化的个人风格，从构图、光线、色彩等方面均颠覆传统的束缚，大胆而不羁。这段时间她与其夫摄影家斯蒂格里茨（Alfred Stieglitz）感情稳定，作品风格温暖而性感，与 1929 年后的清冷孤绝，徘徊于死亡和虚幻的主题完全不同。《东方罂粟花》充分表现了奥基夫的欢愉和满足的心境: 温暖的色调，平衡的构图，丰富的色块，对细节的耐心描绘，都让观者立刻能感受到画家这一时段对所谓爱情的沉迷和幻觉憧憬。

近观《东方罂粟花》，两枝巨大的罂粟花充满整个空间，观者几乎可以感觉到自己被其神秘的紫黑花蕊所吸引。作品中的暧昧象征似乎不言而喻，尽管画家本人一贯否认其花卉作品有任何性爱暗指。此画中花瓣的色彩游走于红、橙、粉色之间，更似乎验证了对微妙感情的动态表现。对于奥基夫来说，这样的绘画是真正的现实主义，而完全摄影式地记录真实反而不是现实。她指出：“只有通过选择，通过消除，通过强调，我们才可以真正触及事物的真实含义。”

WAM 馆藏奥基夫作品《东方罂粟花》(Georgia O' Keeffe, Oriental Poppies, 1927, oil on canvas, 30 x 40 1/8 in. Collection of the Weisman Art Museum, University of Minnesota, Minneapolis. Museum purchase. 1937.1.)

关于《东方罂粟花》的正确悬挂方法曾经有过争议：水平悬挂还是垂直悬挂？在很长的时间里它被垂直悬挂，直到 80 年代新研究认为作品完成后最初展出的时候是被水平悬挂，所以 WAM 现在选择了水平悬挂。两种不同悬挂方法对作品的鉴赏和对画家创作心理的解读应当是一个饶有趣味的讨论主题。

阿瑟·德夫 (Arthur Dove, 1880-1946) 一贯被尊为美国第一位抽象画家。擅长用抽象的形状和符号解释自然，色彩和构图上桀骜不驯，原创性极其鲜明。巧合的是，德夫在创作早期也与摄影家斯蒂格里茨过从甚密。

WAM 馆藏的德夫 1932 年作品《风》比他同时期大部分作品都要具象，尽管其中抽象的元素仍然突出。天空中云彩和海上的波浪都是长而弯曲的形状，交错纠结，模糊了地平线的坐标，由此传达了海上时空不确，瞬息间风雷变换的感觉。最奇异的是画面左下角的面具状水波，让人不寒而栗。画面中间的小舟似乎在风浪的裹挟之下无可奈何，任凭自然的摆布。艺术史家们解释这件作品表现了德夫的痛苦和对生活的忐忑。时值大萧条年代，艺术家普遍生活困苦。政府只在财政上有限支持现实主义风格的作品，而德夫的艺术理念与现实主义却格格不入。这幅作品中的小舟可能就是画家的自指，蛇形的乌云和海浪都是无可抗拒的现实危险，时刻可以将无奈的小舟（艺术家）吞没在恶意的风暴之中，片甲不存。

WAM 馆藏德夫作品《风》(Arthur Dove, Gale, 1932, oil on canvas, 25 3/4 x 35 3/4 in. Collection of the Weisman Art Museum, University of Minnesota, Minneapolis. Museum purchase. 1936.84.)

(Special thanks to Mrs. Gina King, Dr. Lyndel King, Josephine Keifenheim and Erin Bouchard at the Weisman Art Museum, for their kind assistance in providing guidance, background information and high resolution images of the artworks.)

明尼苏达科学馆
Science Museum of Minnesota

2012 年 10 月，明尼苏达科学馆 (Science Museum of Minnesota) 馆长艾瑞克·焦利 (Eric Jolly) 博士被奥巴马总统任命为全国博物馆和图书馆服务委员会 (National Museum and Library Services Board) 成员。在明尼苏达社区庆祝焦利博士获得任命的仪式上，科学馆董事局 (Board of Trustees) 主席金理德 (Rick King) 感谢焦利博士和他的同事们把科学馆建设成为了明尼苏达州最好的博物馆。

明尼苏达科学馆 (Science Museum of Minnesota)

明尼苏达科学馆是明尼苏达州最大的科学和技术方面的博物馆，始建于 1907 年，当时的名称是"圣保罗理文中心"(The St. Paul Institute of Science and Letters)，致力于促进圣保罗的知识和科学进步，并为本地教育和知识界举办科学方面的讲座。机构创立之初就收到了大量科学标本和仪器的捐赠，包括一对圣保罗夫妻从埃及寄来的木乃伊。机构名称随后几次变更，1970 年确立为现在的"明尼苏达科学馆"。科学馆馆藏日渐丰富，收藏的科技物品现在多达 175 万件。

明尼苏达科学馆环幕影院 (William L. McKnight – 3M Omnitheater)

1959 年，科学馆的古生物展览负责人在蒙大拿州发现了一套极其珍贵的古三角龙 (Triceratops) 骨骼，并将其带回到圣保罗，使科学馆成为世界上仅有的收藏古三角龙骨骼的四个博物馆之一。1978 年，科学馆建设了世界上第二大的环幕影院——奥姆尼剧院 (Omnitheatre)。1999 年，科学馆迁址到圣保罗市中心的密西西比河畔，并建设了美国第一个具有多银幕转换功能的 IMAX 环幕影院。

明尼苏达科学馆是超大银幕电影业中的领袖，从 1978 年至今，科学馆已经制作和参与制作了 11 部超大银幕电影，包括关于大地构造学的《创世纪》(Genesis)；关于火山喷发的地质原因的《火圈》(Ring of Fire)； 关于生物多样性的《热带雨林》(Tropical Rainforest)； 关于追踪鲨鱼生活轨迹的《寻找大鲨鱼》(The Search for Great Sharks)；介绍世界上七处自然人文奇观的《伟大的地方》(The Great Places)；记录黑猩猩生活习性和著名动物学家简·古德尔长达四十年的对黑猩猩的研究的《简·古德尔的野猩猩们》(Jane Goodall's Wild Chimpanzees)。这 11 部巨作已经在全世界 24 个国家放映过，观众人次多达 6 千万人。其中《寻找大鲨鱼》、《伟大的奇观》、和《火圈》都曾在北京、天津、深圳、香港等中国城市放映。

科学馆参与的最新制作是《龙卷风地带》(Tornado Alley)，现正在环幕影院上映。并非巧合的是，《龙卷风地带》的导演尚·凯西 (Jean

Casey) 是《火圈》导演乔治·凯西 (George Casey) 的儿子。《龙卷风地带》讲述的是尚·凯西的电影摄制组和另外一组气象科研人员，以定制装甲拍摄车为装备，深入龙卷风核心，获取和记录一手科研数据和拍摄龙卷风摧枯拉朽之骇人力量的故事。影片的视觉冲击力强烈，影像和节奏动人心魄。

明尼苏达科学馆资深副总裁戴迈克 (Mike Day) 指出：超大银幕电影业现在面临着从传统胶片向数码转换的挑战。他认为数码时代实际上给超大银幕带来了新的机会，在未来，超大银幕将有可能实时转播人类在火星的登陆和其他视觉奇迹。

明尼苏达科学馆致力于促进明尼苏达和中西部地区科学、技术、工程和数学，即 STEM (Science-Technology-Engineering-Math) 的教育和进步。科学馆在互动教育和与学区合作方面在全国闻名。其“科学屋”(Science House) 项目为教师和学生提供大量学习资源和科学实验经验。科学馆的各建筑结合最先进的绿色建筑理念和实践，非常注重节能与环保。

戴迈克 (Mike Day) 认为科学馆存在的支柱是社区支持、教育、合作和创新。博物馆不应该仅仅是一个静态的历史展示，而应该是一个动态的互动过程，能够加入到社区的学习对话之中，放大增值学生的学习经验。每年科学馆参观人数多达一百余万，其中很大一部分是教师和学生。科学展览也是有机学习经验的一部分，能够帮助和鼓励学生对某一领域产生兴趣，深入学习。这要归功于科学馆著名的可以让参观者“动手动体”(Hands and bodies-on) 亲自参与的各种展览。

明尼苏达科学馆致力于促进明州科技的发展和进步，特别是技术、自然历史、物理和数学方面的教育和研究。科学馆立馆宗旨为：“开启科学：发挥决策者、教师和个人的能量以达到全面的对世界的公民参与和经济参与。”(Turn on the science: realizing the potential of policy makers, educators, and individuals to achieve full civic and economic participation in the world.)

科学馆的分展馆有：恐龙和化石展馆 (The Dinosaurs and Fossils

Gallery)，包括三角龙 (Triceratops)、梁龙 (Diplodocus)、异特龙 (Allosaurus)、剑龙 (Stegosaurus) 和弯龙 (Camptosaurus) 等多个恐龙的骨骼。人体展馆 (The Human Body Gallery) 展示人体肌理、器官、血脉和消化系统等等。来访者在"细胞实验室"(Cell Lab) 里面甚至可以提取自身的脱氧核糖核酸 (DNA) 并进行简单分析。科学实验展馆 (The Experiment Gallery) 内互动性的展示帮助参观者们理解物理学、数学和地质学的基本概念。永久收藏展馆 (The Collections Gallery) 选择展示部分永久藏品。大型博物馆一般都轮回展示其永久收藏，但被展出的一般只是永久收藏中很小的一部分。科学馆共有 170 万件永久收藏，包括恐龙和其他远古动物遗骸、化石，动植物标本，文物，科技产品等等。密西西比河展馆 (The Mississippi River Gallery) 提供密西西比河及沿岸国家公园的自然地理等信息,教育参观者保护环境和自然生态。大后花园展馆 (The Big Back Yard) 是关于地球科学的室外展馆。一个小型的高尔夫场地展示地表侵蚀、污染、水流运动等等现象。科学屋 (The Science House) 是科学馆拥有的一栋完全无排放的建筑，充分利用可再生能源，代表了节能减排的理想。

科学馆馆藏古梁龙化石

科学馆不仅仅是一个博物馆，同时也是一个研究机构，馆内工作人员包括古生物学家，考古学家，生态学家，生物学家，人类学家和档案学家等等。馆长埃里克·焦利博士 (Eric Jolly) 是一位教育家和美国原住民文化历史学家；资深副总裁保罗·马丁 (Paul Martin) 也是一位文化历史学家和教育管理学家。

科学馆每年都策划三四个主要展览，近年的展览包括《失去的埃及：古老的秘密和现代科学》(Lost Egypt: Ancient Secrets Modern Science)；《真实的海盗：威达号从奴隶船到海盗船的未被讲述的故事》(Real Pirates: The Untold Story of the Whydah from Slave Ship to Pirate Ship)；《自然释放：自然灾害内幕》(Nature Unleashed: Inside Natural Disasters)；《死海古卷：改变世界的文字》(The Dead Sea Scrolls: Words that Changed the World)；《泰坦尼克号文物展》(Titanic: The Artifact Exhibition)；《犯罪现场调查经验》(CSI: The Experience)；《星球大战：科学与想象的相遇》(Star Wars: Where Science Meets Imagination)；《庞贝一日》(A Day in Pompeii)；《种族：我们真的不同吗？》(Race: Are We So Different?)；《维京人：北大西洋的冒险传奇》(Vikings: The North Atlantic Saga)；《恐龙灭绝之日》(When the Dinosaurs Were Gone) 等等。从这些展览主题可见科学馆的兴趣横贯古今，上天入地，亦庄亦谐，少长咸宜。

科学馆在 2013 年 6 月份推出了大展《玛雅：隐秘世界的揭示》(Maya; Hidden Worlds Revealed)。策展人保罗·马丁 (Paul Martin) 认为古代玛雅文明是古代世界最复杂，最先进的文明之一，他们的纪念性建筑和独特的艺术风格，其复杂的天文学知识和时间推算，其复杂的政治组织为首的皇家朝代，和他们的写作系统，均在古代世界罕有其比。人们通过考古研究，在过去的百年中再发现了变化中的文化，玛雅千年的繁荣与衰退，玛雅文化遗存甚至延续至今天。

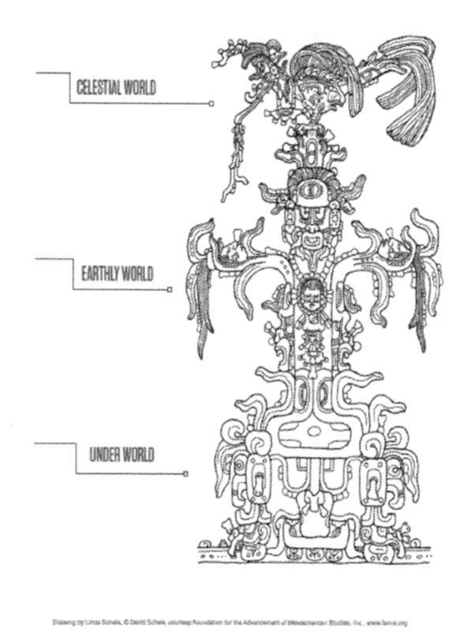

玛雅文化中的塞瓦树

展览将以玛雅文化自身的宇宙学和信仰系统的结构来组织，分为天、地、地下三个世界，正如塞瓦树 (Ceiba) 的枝、茎、根三个部分。保罗·马丁 (Paul Martin) 指出这个展览将透过玛雅统治精英以及普通人的不同视点来探索古代玛雅社会迷人的社会、自然和精神领域，展示珍贵文物，并提供浸入式展览环境和亲自动手参与的机会，这些都是明尼苏达科学馆最擅长于提供的学习和交流手段。

明尼苏达科学馆内学生与机器人的互动

(The author thanks Dr. Eric Jolly, Rick King, Mike Day, Paul Martin, Christine Bauer, and Kim Ramsden at the Science Museum of Minnesota, for their valuable advice and help in completing this article.)

明州的科技进步
Science and Technology in Minnesota

明尼苏达州以自然环境、教育程度和健康水平为指标的综合生活环境指数在美国名列前茅，同时以科技进步和创新产业著名。明州传统的产业有木材采伐和加工、铁矿和矿石加工、以及食品加工业，明州人均拥有食品合作社居全美第一。第二次世界大战之后，明州的医疗保健业、医疗器械制造业、生化药物制造、信息技术产业等迅速发展，现在已经成为美国中部的科技重镇，20 家财富 500 强企业的总部设立于此，明州人均财富 500 强企业数目也是全美第一。

日前，明尼苏达高技术协会 (Minnesota High Tech Association) 召开了 2012 年度大会，明州州长马克·戴顿 (Mark Dayton) 展望了明州的高科技产业，并介绍了大会的主题发言人、明州科技界的领袖之一金理德 (Rick King)。金理德现任汤森路透集团公司 （Thomson Reuters）首席技术运营官。他领导集团所有商业单元的技术策略发展和运营事务。他是全国知名的技术权威，曾担任明尼苏达州超高速宽带委员会 (Minnesota Ultra High-Speed Broadband Task Force) 主席，负责起草具有里程碑意义的技术报告并设定全州相关计划，该计划在 2010 年被明州议会接受并通过。金理德还是明尼苏达科学馆 (Science Museum of Minnesota) 董事局主席，明尼苏达公共广播电台 (Minnesota Public Radio) 董事，明尼阿波利斯艺术馆 (MIA) 董事，大都会机场管理局 (Metropolitan Airports Commission) 理事，大都会地区发展委员会 (Greater MSP) 理事，明尼苏达商业合作委员会 (Minnesota Business Partnership) 董事，明尼苏达大学商学院 (Carlson School of Management) 董事，公共政策学院 (Humphrey School of Public Affairs) 院长顾问委员，和美国商会电子通信和电子商务委员会委员等。2005 年，金理德曾陪同当时的明州州长蒂姆·波兰蒂 (Tim Pawlenty) 访问中国。2007 年，他被《计算机世界》(*Computer World*) 杂志评为“信息技术全球百名领袖”(Top 100 Leaders)；2008 年，被明尼苏达高技术协会 (Minnesota High Tech Association) 推举为年度技术高管 (Technology Executive of the Year)。2012 年，他被《双城商业》(*Twin Cities Business*) 评为 200 名当代人物 (“200 People to Watch”) 之一，并获得“首席信息官终身成就奖”（CIO Career Achievement Award）。

笔者就明州的科技进步现状和前景对金理德进行了访谈。

成立于 2008 年的明尼苏达州超高速宽带委员会标明着明州决心建设顶尖级高科技基础设施。以《世界是平的》(*The World is Flat*) 一书闻名于世的《纽约时报》专栏作家、明州人托马斯·弗雷德曼 (Thomas Friedman) 对于家乡的这一发展倍感兴奋，他在专栏中写道：“明州超高速宽带委员会这样的机构引导国家走向正确的方向。高端基础设施可以让美国的天才和创新者继续保持我们的科技、经济和道德权威，以可持续发展的方式增长经济。”明州致力于近期在全州所有家庭和工作单位覆盖超高速宽带，下载速度达到每秒 10-20 Mbps，上传速度达到 5-10 Mbps，成为全美网速的前 5 名。

2010 年，明尼苏达州议会通过法律，创立了明尼苏达州科技专家委员会，为促进全州科技进步和经济发展提供指导和建议。波兰蒂州长任命了金理德等 18 人担任委员会委员。委员会和科技局的宗旨是使明州成为全国科技进步的模范、促进创新和商业成功、推动经济进步和增加就业机会。

金理德相信未来明州工作机会将在很大程度上依赖科技，所以政府和商业应该全力推动科技进步，同时营造一个对科技发展有利的环境，使公司和人才乐于且便于在明州发展，形成良性循环。科技局已经交给了明州议会一个新的提案，请求资金资助高技术进步项目、新创立的中小型公司、企业快速创新项目和企业实习生项目。这些项目将帮助明尼苏达州成为更富有竞争力的地区，吸引更多的公司企业和科技人才在明州立足。

金理德认为明尼苏达州有着巨大的潜力成为美国最适于科技发展的州。当今美国在科技方面领先的州有加利福尼亚州、马赛诸塞州、德克萨斯州、犹他州、和北卡洛莱纳州，明州正在快速赶上。明州大双城地区兼具大都会和宜居城市的双重品格：文化艺术、体育和户外运动发达，房地产价格合理，中小学校教育质量优异，大专院校在科研和教学上闻名全国,所有这些都是明尼苏达吸引人才和企业的优势。明州还拥有全美最好的科技博物馆之一明尼苏达科学馆，现在正在进行的海盗展 (Real Pirates)、“未来的地球”展 (Future Earth)、奥姆尼剧场 (Omni Theatre) 的环幕电影都是非常适合成人和青少年的科普节目。

金理德坚信，卓越的生活发展环境，丰富的文化生活，高科技的基础设施（超高速宽带），正确的政策扶植（科技局专家委员会），都将促成明尼苏达州成为美国顶尖的科技进步大州。

金理德 Rick King（中）在记者会上

附录
Appendix

明尼苏达州基本情况
Basic Facts about Minnesota

昵称: North Star State; The Gopher State; The Land of 10,000 Lakes
简写: MN
首府: 圣保罗 Saint Paul
最大城市: 明尼阿波利斯 Minneapolis
加入联邦时间: 1858 年 5 月 11 日（第 32 个加入联邦）
面积:

- 总面积 86,939 平方英里（225,181 平方公里），全美第 12 名
- 宽约 200 – 350 英里（约 320-560 公里）
- 长约 400 英里 （约 640 公里）
- 水域百分比 8.4%
- 经度： 89° 29’ W to 97° 14’ W
- 纬度： 43° 30’ N to 49° 23’ N

海拔：

- 最高点：鹰山（Eagle Mountain），701 米
- 平均海拔：370 米
- 最低点：苏必利尔湖 (Lake Superior), 183 米

人口 （2013 年统计数字）：

- 5,420,380 人， 全美第 21 名
- 人口百分比: 白人 86.2%; 非裔 5.7%; 原住民（印第安人）1.3%; 亚裔 4.5%
- 家庭总数 2,368,711
- 家庭平均收入： $ 59,126

时区：美国中部时间 （CT）

明尼苏达州地图
Map of the State of Minnesota

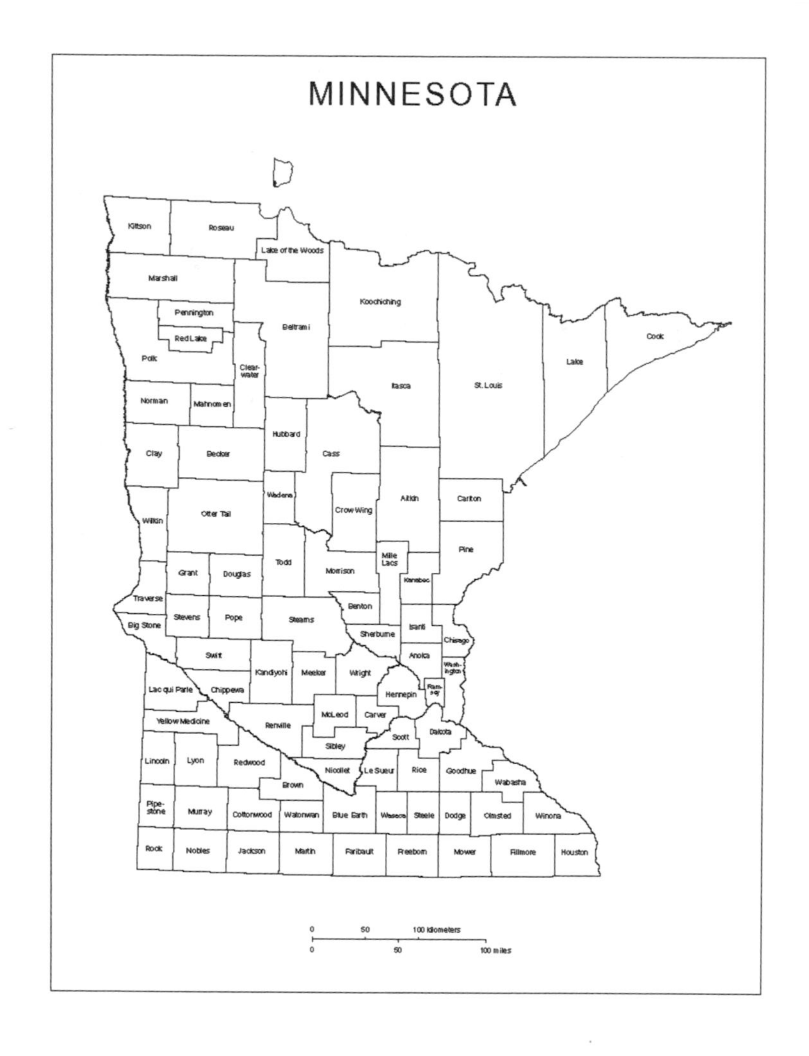

明尼苏达大学各校园分布
University of Minnesota Campuses

明尼苏达州宪法
导读[1]

美国在政治体制上与我国最大的不同就是美国采取的是联邦制，即每一个州无论是在政治还是在经济权力上都拥有当然的自主管辖权。从在美国联邦宪法制定过程中联邦党人与反联邦党人的论战到联邦宪法的制定与公布，联邦权力与州权力的斗争从未停止过。但争论的内容从来都不涉及州自治权力，如制定自己宪法的权力，这是受到美国联邦宪法第十条修正案保护的。第十条修正案规定："宪法未授予合众国、也未禁止各州行使的权力，由各州各自保留，或由人民保留。"[2]

明尼苏达州宪法的制定遵循于大多数州宪法的制定步骤。基于美国国会于 1857 年 2 月颁布的《授权法案》，1857 年 6 月 1 日由明尼苏达州境内的共和党和民主党代表共同组成州制宪机构，该制宪会议从 7 月 13 日到 8 月 29 日在圣保罗举行。因为两个政党之间的分歧非常大，代表们无法达成统一的意见，所以最后两个党派仅签署了自己的那份文本。这两份文本主要内容基本上是相同的，但却存在许多的标点、语法和措辞的不一致，但这两份宪法草案最终在当年 10 月 13 日举行的州宪法最终投票中得到通过。根据史料证明，这两个版本的宪法都提供给了联邦参议院，但是最终共和党版本的草案被联邦通过，并成为真正的明尼苏达州宪法。因而此部宪法，加上随后明尼苏达州议会通过的一系列的宪法修正案，共同组成了明尼苏达州成文宪法的内容。

[1] 中文导读由陈晨编撰。

[2] X-Rights of the States under Constitution states that "The powers not delegated to the United States by the Constitution, nor prohibited by it to the States, are reserved to the States respectively, or to the people."

1971，州立法机构组建了一个委员会来研究宪法，希望针对存在的问题提出修改意见。委员会经过两年的研究，建议修订宪法并以现代语言重写它，以方便适用。该修正案由选民于 1974 年 11 月 5 日通过投票批准，修改后的文本并没有改变宪法的含义，但如果有因修改而导致歧义，原始文件仍然具有最终权威。此外现行明尼苏达州宪法还包括所有 1857 年通过批准的修正案。

联邦制的奇妙之处就在于，它既保留了小国自治的特权，又在一些重要的权力上保持着大国统一的优势，而联邦与州宪法的关系正好体现了这一特点，即州宪法规定的标准不能低于联邦宪法的标准。

在州的制度层面内，明尼苏达州成文宪法属于立法机关制定的法律，具有本州范围内最高的效力与权威，其规定了本州最为基本的政治制度与法律制度，是本州范围内所有立法和普通法的基础。比如说，若是仅州法院有权管辖的案件，则州法院只能根据州宪法进行违宪审查。当然这种对于联邦法律的排除力也存在例外，但仅只有一类例外，即州宪法违反了美国联邦宪法的规定。

因而如果要寻找明尼苏达州成文宪法的文本，盲目的在联邦法中寻找必然没有收获，必须首先应将目标锁定于州法范围内，再考虑到宪法的性质，就必须具体到明尼苏达州的立法分支制定的立法体系中去寻找。

美国普通法宪法在美国是以保护人权和限制政府权力为逻辑起点建构的，因而政府的权力只产生于宪法中的授权，而人权则是只有在宪法中规定限制的领域才能限制人权。也就是说，与联邦宪法相比，州宪法中对于人权的限制不能多于联邦宪法，因而可能各州的宪法结构也与联邦宪法不同。

大部分的中国法学院的学生应该知道普通法即指判例法，在美国宪法制度中，无论是联邦还是州宪法，宪法判例法都是宪法制度中重要的组成部分。明尼苏达州的宪法也许在文字上与美国联邦宪法的差别不大，但正是这些细微的表达上的差别，使得明尼苏达州的宪法判例中对于明尼苏达州宪法的解释与联邦宪法有着很大的差别。

明尼苏达州宪法一个突出的特点是宪法第一章即规定公民权利，目前有十七个部分，其中包括许多内容都与美国联邦宪法的权利法案差不多，但措辞上略有不同。这些细微的措辞上的不同，很可能导致由拥有宪法解释权的明尼苏达最高法院对其进行解释，给出不同于联邦宪法的一个含义。

明尼苏达州宪法第 1 章第 3 节规定："新闻出版自由应当永远不受侵犯，所有的人可以自由地说、写，或者可以通过任何方式发表他们的观点，并为自己的行为负责。"[3] 相比之下，美国宪法第一修正案规定"国会不得制定关于下列事项的法律：确立国教或禁止信教自由；剥夺言论自由或出版自由；或剥夺人民和平集会和向政府请愿救助的权利。"[4] 尽管明尼苏达州宪法第 1 章第 3 节保护言论自由，但正是由于宪法中措辞的微妙差别，明尼苏达最高法院决定进行与联邦宪法第一修正案不同的含义，如 ***State v. Wicklund***[5]。

更加奇妙的是，尽管第 1 章第 10 节中的表达与美国宪法第四修正案一样，明尼苏达最高法院做出的解释经常与联邦宪法不同，州宪法更倾向于给受刑事起诉的人更多的保护。例如，在 ***State v. Carter***[6]（2005）案中法院裁定，警犬"嗅"一个租用储物柜是在权利法案下的一个"侦查"行为，而在联邦宪法中这种行为不属于搜查的行为。

---

[3] Section 3 states that "the liberty of the press shall forever remain inviolate, and all persons may freely speak, write and publish their sentiments on all subjects, being responsible for the abuse of such right."

[4] Amendment I states that "Congress shall make no law respecting an establishment of religion, or prohibiting the fre e exercise thereof; or abridging the freedom of speech, or of the press; or the right of the people peaceably to assemble, and to petition the Government for a redress of grievances."

[5] State v. Wicklund (1999) No.C7-97-1381，http://caselaw.findlaw.com/mn-supreme-court/1224143.html，2014 年 10 月 20 最后登录。

[6] State v. Carter（2005）No.A03-1215，http://caselaw.findlaw.com/mn-supreme-court/1180901.html，2014 年 10 月 20 号最后登录。

因而要完整地了解明尼苏达州宪法，仅查找到宪法文本是远远不够的，众多的宪法判例也是了解宪法时必须理解和总结的。从不同时代的宪法判例中，我们可以看到法院对于同一宪法条文的理解随着时代价值观的变化而改变着，从不同州之间的宪法判例中，我们可以了解各州的法官对待各州相类似的宪法条文的判例的不同，更加深入地了解美国社会不同的价值观冲突。

Constitution of the State of Minnesota
Introductory Notes [7]

In accordance with the enabling act of February 26, 1857, an election was held on June 1, 1857, at which Republican and Democratic delegates were elected to the constitutional convention. When these delegates assembled in St. Paul on July 13, 1857, to draft the Minnesota constitution, bitterness between the two parties was so intense that Republican delegates and Democratic delegates refused to meet in the same convention. As a result each party held separate sessions in different rooms of the first capitol building.

The Democratic "convention" was presided over by Henry H. Sibley, later elected first governor of Minnesota. The Republican "convention" was presided over first by John W. North, and later by St. Andrew D. Balcombe.

The political cleavage was so great that the two bodies never acted in joint meeting during the entire constitutional convention: July 13 to Aug. 29. The final work was done through a conference committee composed of five conferees from each of the conventions. The conferees, by reporting to and receiving advice from their respective conventions, were able to draft a constitution that would be acceptable to both bodies. On August 28, 1857, in spite of numerous protests by delegates, the report of the conference committee was adopted without amendment by both the Republican and Democratic conventions.

---

[7] 明尼苏达州州务卿《明尼苏达州宪法简介》, Minnesota Secretary of State's Note on the Constitution of the State of Minnesota.

However, when it came time to sign the constitution, the bitter feeling was still so intense that Democrats would not sign an instrument which bore Republican signatures, and the Republicans objected to signing an instrument that bore the signatures of Democrats. The solution to this impasse: two constitutions. One constitution was written on white paper and signed only by Republicans. The other constitution was written on blue-tinted paper and signed only by Democrats.

Thus, on the 29th day of August, after seven weeks of political dispute and disagreement, the two conventions adjourned when as many members as could bring themselves to do so signed the copy of the constitution enrolled for their particular convention.

The schedule to the constitution provided for an election to be held on October 13, 1857. At this election the voters were to accept or reject the constitution. The ballots used for this purpose were printed to provide only for affirmative votes. A voter who wished to reject the constitution had to alter his ballot and write in a negative vote. The result: 30,055 for acceptance and 571 for rejection.

The procedure for acquiring statehood not only requires a constitution to be approved by the voters of the proposed state, the constitution must also be approved by Congress. In December of 1857 the Minnesota constitution was submitted to the United States Senate for ratification.

A certified copy of the Democratic constitution was transmitted to the senate by the territorial secretary: a Democrat. This copy was attached to the bill for the admission of Minnesota into the union. However, when the bill was reported back from the senate, historians report that the Republican constitution was attached. In any event, there is substantial authority that both constitutions were before Congress when Minnesota was admitted to the union on May 11, 1858.

In reality, the constitution ratified by Congress was not the original constitution. At the election of October 13, 1857, in addition to voting on the constitution, the voters elected executive, legislative and judicial officers. The state officers were content to wait for the act of Congress before assuming office. But the legislature took a contrary view. It convened on December 3, 1857, on the theory that under the enabling act the statehood of Minnesota began when the voters approved the constitution. Even though this theory was incorrect, the legislature proceeded to enact laws, the effects of which have remained undisturbed by the courts.

The first two acts passed by the legislature were proposed amendments to the constitution. One amendment authorized a loan to railroads of $5 million and the other related to the term of office of the first state officers. These amendments were ratified by the voters at a special election held April 15, 1858. It would appear that the constitution that Congress approved on May 11, 1858, was an amended constitution, not the original adopted by the constitutional convention and approved by the voters in 1857.

The legislature in 1971 established a constitutional study commission to review the constitution and make recommendations to maintain its utility. After two years’ study, the commission recommended that an amendment restructuring the constitution for easy reference and rewriting it in modern language be prepared.

The amendment was introduced and passed in both houses, signed by the governor, and approved by the voters on November 5, 1974. The previous wording of the constitution is printed, with all the amendments approved by voters since its adoption in 1857, in the Minnesota Legislative Manual 1973–74, pages 445–484. The amendment approved in 1974 did not alter the meaning of the constitution. In cases of constitutional law, the original document remains the final authority.

Constitution of the State of Minnesota

明尼苏达州宪法
（权利法案部分）
Constitution of the State of Minnesota

Adopted October 13, 1857
Generally Revised November 5, 1974

Preamble

We, the people of the state of Minnesota, grateful to God for our civil and religious liberty, and desiring to perpetuate its blessings and secure the same to ourselves and our posterity, do ordain and establish this Constitution

ARTICLE I
BILL OF RIGHTS

Section 1. **Object of government.**

Government is instituted for the security, benefit and protection of the people, in whom all political power is inherent, together with the right to alter, modify or reform government whenever required by the public good.

Sec. 2. **Rights and privileges.**

No member of this state shall be disfranchised or deprived of any of the rights or privileges secured to any citizen thereof, unless by the law of the land or the judgment of his peers. There shall be neither slavery nor involuntary servitude in the state otherwise than as punishment for a crime of which the party has been convicted.

Sec. 3. **Liberty of the press.**

The liberty of the press shall forever remain inviolate, and all persons may freely speak, write and publish their sentiments on all subjects, being responsible for the abuse of such right.

Sec. 4. **Trial by jury.**

The right of trial by jury shall remain inviolate, and shall extend to all cases at law without regard to the amount in controversy. A jury trial may be waived by the parties in all cases in the manner prescribed by law. The legislature may provide that the agreement of five-sixths of a jury in a civil action or proceeding, after not less than six hours' deliberation, is a sufficient verdict. The legislature may provide for the number of jurors in a civil action or proceeding, provided that a jury have at least six members.

[Amended, November 8, 1988]

Sec. 5. **No excessive bail or unusual punishments.**

Excessive bail shall not be required, nor excessive fines imposed, nor cruel or unusual punishments inflicted.

Sec. 6. **Rights of accused in criminal prosecutions.**

In all criminal prosecutions the accused shall enjoy the right to a speedy and public trial by an impartial jury of the county or district wherein the crime shall have been committed, which county or district shall have been previously ascertained by law. In all prosecutions of crimes defined by law as felonies, the accused has the right to a jury of 12 members. In all other criminal prosecutions, the legislature may provide for the number of jurors, provided that a jury have at least six members. The accused shall enjoy the right to be informed of the nature and cause of the accusation, to be confronted with the witnesses against him, to have compulsory process for obtaining witnesses in his favor and to have the assistance of counsel in his defense.

[Amended, November 8, 1988]

Sec. 7. **Due process; prosecutions; double jeopardy; self-incrimination; bail; habeas corpus.**

No person shall be held to answer for a criminal offense without due process of law, and no person shall be put twice in jeopardy of punishment for the same offense, nor be compelled in any criminal case to be a witness against himself, nor be deprived of life, liberty or property without due process of law. All persons before conviction shall be bailable by sufficient sureties, except for capital offenses when the proof is evident or the presumption great. The privilege of the writ of habeas corpus shall not be suspended unless the public safety requires it in case of rebellion or invasion.

Sec. 8. **Redress of injuries or wrongs.**

Every person is entitled to a certain remedy in the laws for all injuries or wrongs which he may receive to his person, property or character, and to obtain justice freely and without purchase, completely and without denial, promptly and without delay, conformable to the laws.

Sec. 9. **Treason defined.**

Treason against the state consists only in levying war against the state, or in adhering to its enemies, giving them aid and comfort. No person shall be convicted of treason unless on the testimony of two witnesses to the same overt act or on confession in open court.

Sec. 10. **Unreasonable searches and seizures prohibited.**

The right of the people to be secure in their persons, houses, papers, and effects against unreasonable searches and seizures shall not be violated; and no warrant shall issue but upon probable cause, supported by oath or affirmation, and particularly describing the place to be searched and the person or things to be seized.

Sec. 11. **Attainders, ex post facto laws and laws impairing contracts prohibited.**

No bill of attainder, ex post facto law, or any law impairing the obligation of contracts shall be passed, and no conviction shall work corruption of blood or forfeiture of estate.

Sec. 12. **Imprisonment for debt; property exemption.**

No person shall be imprisoned for debt in this state, but this shall not prevent the legislature from providing for imprisonment, or holding to bail, persons charged with fraud in contracting said debt. A reasonable amount of property shall be exempt from seizure or sale for the payment of any debt or liability. The amount of such exemption shall be determined by law. Provided, however, that all property so exempted shall be liable to seizure and sale for any debts incurred to any person for work done or materials furnished in the construction, repair or improvement of the same, and provided further, that such liability to seizure and sale shall also extend to all real property for any debt to any laborer or servant for labor or service performed.

Sec. 13. **Private property for public use.**

Private property shall not be taken, destroyed or damaged for public use without just compensation therefor, first paid or secured.

Sec. 14. **Military power subordinate.**

The military shall be subordinate to the civil power and no standing army shall be maintained in this state in times of peace.

Sec. 15. **Lands allodial; void agricultural leases.**

All lands within the state are allodial and feudal tenures of every description with all their incidents are prohibited. Leases and grants of agricultural lands for a longer period than 21 years reserving rent or service of any kind shall be void.

Sec. 16. **Freedom of conscience; no preference to be given to any religious establishment or mode of worship.**

The enumeration of rights in this constitution shall not deny or impair others retained by and inherent in the people. The right of every man to worship God according to the dictates of his own conscience shall never be infringed; nor shall any man be compelled to attend, erect or support any place of worship, or to maintain any religious or ecclesiastical ministry, against his consent; nor shall any control of or interference with the rights of conscience be permitted, or any preference be given by law to any religious establishment or mode of worship; but the liberty of conscience hereby secured shall not be so construed as to excuse acts of licentiousness or justify practices inconsistent with the peace or safety of the state, nor shall any money be drawn from the treasury for the benefit of any religious societies or religious or theological seminaries.

Sec. 17. **Religious tests and property qualifications prohibited.**

No religious test or amount of property shall be required as a qualification for any office of public trust in the state. No religious test or amount of property shall be required as a qualification of any voter at any election in this state; nor shall any person be rendered incompetent to give evidence in any court of law or equity in consequence of his opinion upon the subject of religion.

[明尼苏达宪法全文可见：https://www.revisor.leg.state.mn.us/constitution/]

明尼苏达重要互联网址
Important Websites of Minnesota

Government

State of Minnesota: http://mn.gov/

Governor of Minnesota: http://mn.gov/governor/

Minnesota Judicial System: http://mncourts.gov/

Minnesota Legislature: http://www.leg.state.mn.us/

Minnesota Statutes: https://www.revisor.mn.gov/statutes/

Minnesota Laws: http://statelaws.findlaw.com/mi
nnesota-law.html

Minnesota Congressional Delegation http://mn.gov/portal/government/
-federal/congress/minnesota-delegation.jsp

US Senator Amy Klobychar: http://www.klobuchar.senate.gov/

US Senator Al Franken: https://www.franken.senate.gov/

City of Minneapolis: http://www.minneapolismn.gov/

City of St. Paul: http://www.stpaul.gov/

Hennepin County: http://www.hennepin.us/

Ramsey County: http://www.co.ramsey.mn.us/home/index.htm

Dakota County: http://www.co.dakota.mn.us/Pages/default.aspx

City of Duluth (northeast): http://www.duluthmn.gov/

City of St. Cloud (middle MN): http://www.ci.stcloud.mn.us/

City of Mankato (southwest): http://www.mankato-mn.gov/

City of Bemidji (northwest): https://en.wikipedia.org/wiki/Bemidji,
_Minnesota

City of Red Wing (south MN): http://www.red-wing.org/

City of Rochester (southeastern MN):
http://www.cityofrochester.gov/index.aspx?id=96

Arts, Culture, and History

Minneapolis Institute of Arts: http://new.artsmia.org/

A Prairie Home Companion: http://prairiehome.org/

Minnesota Historical Society: http://www.mnhs.org/

Bell Museum of Natural History: http://www.bellmuseum.umn.edu/

Walker Art Center: http://www.walkerart.org/

Minnesota Science Museum: http://www.smm.org/

Weisman Art Museum: http://www.weisman.umn.edu/

Hennepin County Library: http://www.hclib.org/

Ramsey County Library: http://www.rclreads.org/

Dakota County Library: http://www.rclreads.org/

Database of Minnesota Craft Fairs and Festivals:
http://www.minnesotafairsandfestivals.com/

Lake Superior Maritime Museum Association:
http://lsmma.com/index.html

American Swedish Institute: http://www.asimn.org/

The Museum of Russian Art: http://tmora.org/

Textile Center: http://www.textilecentermn.org/

Minnesota State Fair: http://www.mnstatefair.org/

Not–for–Profit Universities and 4–Year Colleges

University of Minnesota (public): www.umn.edu

- University of Minnesota, Twin Cities (Twin Cities): http://www1.umn.edu/twincities/index.html
- University of Minnesota, Crookston (northwestern MN): http://www1.crk.umn.edu/
- University of Minnesota, Duluth (Duluth): http://www.d.umn.edu/
- University of Minnesota, Morris (western MN): https://en.wikipedia.org/wiki/Morris,_Minnesota

- University of Minnesota, Rochester (Rochester):
  http://www.r.umn.edu/

Minnesota State Colleges and Universities (public):
http://www.mnscu.edu/

- Bemidji State University (Bemidji): http://www.bemidjistate.edu/
- Metropolitan State University (St. Paul):
  http://www.metrostate.edu/
- Minnesota State University, Moorhead (northwestern MN):
  http://www.mnstate.edu/
- Minnesota State University, Mankato (southern MN):
  http://www.mnsu.edu/
- Southwest Minnesota State University (southwestern MN):
  http://www.smsu.edu/
- St. Cloud State University (St. Cloud):
  http://www.stcloudstate.edu/
- Winona State University (southeastern MN):
  http://www.winona.edu/

Augsburg College (private, Lutheran, Twin Cities):
http://www.augsburg.edu/

Bethany Lutheran College (private, Lutheran, Mankato):
http://www.blc.edu/

Bethel University (private, Baptist, South Metro):
https://www.bethel.edu/

Carleton College (private, non-denominational, southern Dakota County):
http://www.carleton.edu/

College of St. Benedict/St. John's (private, Roman Catholic, middle MN):
http://www.csbsju.edu/

College of St. Scholastica (private, Roman Catholic, Duluth):
http://css.edu/

Concordia College, Moorhead (private, Lutheran, northwestern MN):
https://www.concordiacollege.edu/
Concordia University (private, Lutheran, St. Paul):
http://www.concordia.ca/
Crown College (private, Evangelical Christian, Hennepin County):
http://www.crown.edu/
Gustavus Adolphus College (private, Lutheran, southern MN):
https://gustavus.edu/
Hamline University (private, Methodist, St. Paul):
http://www.hamline.edu/
Macalester College (private, Presbyterian, St. Paul):
http://www.macalester.edu/
Martin Luther College (private, Lutheran, southwestern MN):
http://www.mlc-wels.edu/
Mayo Clinic College of Medicine (private, non-denominational, Rochester):
http://www.mayo.edu/education/
Minneapolis College of Art and Design (private, non-denominational,
-Minneapolis): http://mcad.edu/
North Central University (private, Assemblies of God, Minneapolis):
http://www.northcentral.edu/
St. Catherine University (private, Roman Catholic, St. Paul):
http://www.stkate.edu/
St. Mary's University of Winona (private, Roman Catholic,
-southeastern MN): http://www.smumn.edu/
St. Olaf College (private, Lutheran, southern Dakota County):
http://wp.stolaf.edu/
University of Northwestern (private, non-denominational Christian,
-North Metro): http://www.unwsp.edu/
University of St. Thomas (private, Roman Catholic, Twin Cities):

http://www.stthomas.edu/

News and Media

Star Tribune: http://www.startribune.com/

St. Paul Pioneer Press: http://www.twincities.com/

Minnesota Times: http://mntimes.org/

City Pages: http://www.citypages.com/

China Insight: http://www.chinainsight.info/

Minnesota Daily: http://www.mndaily.com/

Minn Post: http://www.minnpost.com/

WCCO 4 News: http://minnesota.cbslocal.com/

KSTP 5 Eye Witness News: http://kstp.com/index.shtml

KMSP Fox 9 News: http://www.myfoxtwincities.com/

KARE 11 News: http://www.kare11.com/

Minnesota Public Radio (MPR): http://minnesota.publicradio.org/

Twin Cities Public Television (TPT): http://www.tpt.org/

Access to Democracy: http://www.accesstodemocracy.com/

Minneapolis/St. Paul Business Journal:
http://www.bizjournals.com/twincities/

Twin Cities Business: http://tcbmag.com/

Minnesota Business Magazine: http://www.minnesotabusiness.com/

Minnesota Monthly: http://www.minnesotamonthly.com/

Minnesota Lawyer: http://minnlawyer.com/

Bench & Bar of Minnesota: http://mnbenchbar.com/

Asian American Press: http://aapress.com/

Economy and Commerce

Minnesota Department of Employment and Economic Development:
http://mn.gov/deed/

Minnesota Chamber of Commerce: https://www.mnchamber.com/

Thomson Reuters (public, information services):

https:// www.thomsonreuters.com

Minnesota Business Partnership: http://mnbp.com/

Greater MSP: https://www.greatermsp.org/

Minnesota High Tech Association: http://www.mhta.org/

Metropolitan Airports Commission:

http://www.metroairports.org/Airport-Authority.aspx

Minneapolis-St. Paul International Airport:

https://www.mspairport.com/

Metro Transit: http://www.metrotransit.org/

3M (public, multinational conglomerate): http://

Best Buy (public, consumer electronics retail)

- Consumer: http://www.bestbuy.com/
- Company Information:

http://www.bestbuy.com/site/olspage.jsp?id=cat12114&type=page

Carlson (private, hospitality): http://www.carlson.com/

Cargill (private, food/commodity): http://www.cargill.com/

CH Robinson Worldwide (public, logistics):

http://www.chrobinson.com/en/us/

CHS, Inc. (private, agriculture/energy): http://www.chsinc.com/

Ecolab (public, hygiene): http://www.ecolab.com/

General Mills (public, food): http://www.generalmills.com/

Land O'Lakes (private, food):

http://www.landolakesinc.com/default.aspx

Medtronic (public, medical systems/services):

http://www.medtronic.com/

Mayo Clinic (public, health care): http://www.mayoclinic.org/

SuperValu (public, grocery): http://www.supervalu.com/

Target (public, consumer retail)

- Consumer: http://www.target.com/
- Corporate: https://corporate.target.com/

Thrivent Financial (public, Christian financial services):

https://www.thrivent.com/

United Health Group (public, health care):

http://www.unitedhealthgroup.com/

US Bancorp (public, banking services)

- Consumer: https://www.usbank.com/index.html
- Investor Relations: https://www.usbank.com/cgi_w/cfm/about/investor/index.cfm

(Selected and Complied by Joe McKenzie Pearman)

作者简介

王昶 律师

王昶 2006 年毕业于明尼苏达大学法学院，获法律博士学位。此前他获得北京电影学院电影编剧与电影学系电影文学学士；北京大学比较文学与比较文化研究所比较文学与世界文学硕士；和美国伊利诺伊大学艺术与设计学院艺术史硕士。

王昶现任汤森路透集团首席研究和学术官，中国政法大学比较法学研究院副教授，硕士生导师。美国明尼苏达大学法学院 、明尼苏达大学本科荣誉项目和威廉米切尔法学院兼职教授；瑞士伯尔尼大学法学院和瑞士琉森大学法学院客座教授；意大利米兰大学和奥地利维也纳大学访问教授；美国法律基金会访问学者；和北京王府学校美国法律与文化客座讲师。2013 年，王昶获欧洲联盟伊斯拉谟学术奖金。2014 年，获明尼苏达大学 China 100 杰出华裔校友奖。

王昶拥有四个美国司法管辖权地区的律师执业资格：华盛顿特区 、明尼苏达州、联邦第八巡回上诉区、和联邦明尼苏达区。他的法律执业领域包括移民法和艺术法等，专长高端杰出人才移民和投资移民。

王昶是美国法学会当选会士，为来自于中国大陆的第二位会士。他还担任美国律师协会国际法学教育与专业认证委员会副主任，中国委员会、国际人权委员会 、移民与归化委员会常务委员 。

王昶是中国民主党派中国民主促进会中央委员会社会和法制委员会委员，为全国 25 位委员之一。

王昶著有三部著作《先锋的终结：比较文化研究》（北京大学出版社），《中国法律体系》（英国钱德斯出版社）、《美国法律文献与信息检索》（中国政法大学出版社），并发表上百篇论文、译文和评论文章，内容涉及比较法学、法律文化、批评理论、艺术史等。

About the Author
Chang Wang, Esq.

Chang Wang is Chief Research and Academic Officer at Thomson Reuters, the world's leading source of intelligent information for businesses and professionals. He is also associate professor of law at the College of Comparative Law, China University of Political Science and Law, the largest law university in the world.

Wang is the second Chinese national ever elected to the prestigious American Law Institute (ALI); Vice Chair of International Legal Education and Specialist Certification Committee at the American Bar Association (ABA); and a member of the ABA Human Rights Advisory Council. He also serves on the ABA Steering Groups for Chinese Law, and Immigration and Naturalization Law. He is a Visiting Scholar at the American Bar Foundation (ABF), the leading research institute for the empirical study of law in the United States.

Wang received a B.F.A. in Filmmaking from Beijing Film Academy, an M.A. in Comparative Literature and Comparative Cultural Studies from Peking (Beijing) University, an M.A. in American Art History from University of Illinois at Urbana-Champaign, and a Juris Doctor from the University of Minnesota Law School. He has been admitted into law practice in Minnesota, the District of Columbia, and federal courts. He specializes in immigration law, art law, and internet law.

Wang is one of the twenty-five members serving on the Central Civil and Judiciary Committee of China Association for Promoting Democracy, the third largest political party in mainland China.

Wang is adjunct professor of law at the University of Minnesota Law School, University of Minnesota Honors Program, and William Mitchell College of Law in the United States; guest professor of law at the University of Bern Faculty of Law and University of Lucerne Faculty of Law in Switzerland; visiting professor at the University of Milan in Italy and University of Vienna in Austria; and Guest Lecturer in American Law and Culture at Beijing Royal School, an elite private high school in China. In 2013, he was awarded Erasmus Mundus Scholarship by the European Commission. In 2014, he received China 100 Distinguished Chinese Alumni Award from the University of Minnesota.

He has published three books and numerous essays and academic papers, in both English and Chinese. His books include *The End of the Avant-Garde: Comparative Cultural Studies* (Beijing: Peking University Press, 2012); *Inside China's Legal System* (Oxford: Chandos Publishing, 2013); *Legal Research in American Law* (Beijing: China University of Political Science and Law Press, 2014). His academic papers and essays have dealt with China, law, and art history.